CW00940550

J.-F. Mallet

SIMPLISSIME

LE LIVRE DE CUISINE LE + FACILE DU MONDE

hachette
CUISINE

**Ce livre est le fruit d'années d'expérience.
Il vient en réponse à la question qu'on me pose quasiment tous les jours : « mais qu'est-ce que je vais bien pouvoir cuisiner ce soir ? ».**

Trouver des idées pour le quotidien, pour petits et grands, savoir se renouveler en cuisine avec seulement les quelques ingrédients qu'on a dans son réfrigérateur ou dans son placard, cela peut être un vrai casse-tête.

À travers ce livre je souhaite vous faire partager des recettes pour tous les jours, rapides et faciles, et pour tous les goûts. Grâce à des associations de saveurs et d'ingrédients simples il est tout à fait possible de faire de bons petits plats, même d'épater la galerie, sans y passer des heures.

Ce livre est aussi simple qu'un mode d'emploi de montage de meuble suédois : 2 à 6 ingrédients présentés en photos, un texte en quelques lignes ; il n'y a plus qu'à laisser cuire... c'est prêt !

Je vous souhaite de très beaux moments en cuisine et surtout à table !

MODE D'EMPLOI

Pour ce livre, je pars du principe que vous avez chez vous :

- L'eau courante
- Une cuisinière
- Un réfrigérateur
- Une poêle
- Une cocotte en fonte
- Un couteau (bien aiguisé)
- Du sel et du poivre
- De l'huile

(Si ce n'est pas le cas c'est peut-être le moment d'investir !)

Quels ingrédients sont indispensables ?

- **Les conserves :** les boîtes de thon et de sardines à l'huile, le lait de coco et l'incontournable trio de conserves de tomates (coulis, concentré et concassé).
- **Les herbes :** les herbes fraîches n'ont pas leur égal, ce sont elles qu'il faut privilégier ! En cas de grosse panne, vous pouvez toujours utiliser la version surgelée ou séchée (mais c'est moins bon).
- **Les huiles :** l'huile d'olive – toujours vierge extra, c'est la meilleure –, les huiles de noisette, de sésame, de noix.
- **Les pâtes :** n'hésitez pas à varier le type de pâtes proposé dans les recettes selon vos envies (et le contenu de votre placard).
- **La sauce soja :** de préférence japonaise, type Kikkoman®, celle avec le bouchon vert – elle est moins salée.

Quel geste adopter ?

- **Cuire des pâtes :** faites cuire dans une grande casserole avec beaucoup d'eau bouillante salée. Attention au temps de cuisson si vous les aimez *al dente*.
- **Cuire au bain-marie :** cette technique permet de faire fondre ou cuire un aliment sans le brûler. Placez le récipient ou la casserole dans lequel se trouve la préparation dans un autre plus grand contenant de l'eau en ébullition.
- **Mariner (faire) :** mettez à tremper un ingrédient dans une préparation aromatique pour la parfumer ou l'attendrir.
- **Monter les blancs d'œufs en neige :** ajoutez une pincée de sel aux blancs d'œufs et utilisez un batteur électrique en faisant monter progressivement la puissance. Battez les blancs toujours dans le même sens pour ne pas les casser.

• **Monter la crème en chantilly :** pour y parvenir, la crème et le bol doivent être très froids (placez le bol au congélateur quelques minutes juste avant). Utilisez un batteur électrique.
• **Peler une orange à vif :** retirez avec un couteau l'écorce et les peaux blanches.
Coupez les deux extrémités de l'orange et ôtez petit à petit l'écorce au couteau en faisant glisser la lame entre l'écorce et le fruit, du haut vers le bas.
• **Réduire :** diminuez le niveau d'un jus ou d'un bouillon sur le feu par évaporation (sans couvrir donc...), en le maintenant à ébullition. Ce procédé permet de concentrer les saveurs et d'obtenir davantage d'onctuosité.
• **Zester un citron :** Il existe 3 façons de zester un citron.
Pour les débutants et pour obtenir un zeste très fin, utilisez une râpe à fromage sur la peau du citron, en passant une seule fois par zone sans atteindre la peau blanche.
Pour les pros et pour obtenir des zestes qui ressemblent à des vermicelles, utilisez un zesteur.
Pour les débrouillards et pour obtenir des sortes de copeaux, utilisez un économe.

Quel ustensile choisir ?

• **Le batteur électrique :** avec ses fouets, il est parfait pour mélanger les sauces, monter les blancs en neige ou la crème en chantilly. On peut aussi le remplacer par un fouet à main et de l'huile de coude !
• **Le mixeur plongeant :** appelé aussi mixeur girafe, il s'utilise pour mixer des préparations liquides (soupe, smoothies, milk-shake...) Très pratique, peu cher, peu encombrant et en plus avec lui peu de vaisselle car il s'utilise directement dans la préparation à mixer sans avoir à la transvaser dans un bol.
• **Le blender :** plus cher et plus encombrant que le mixeur plongeant mais plus de velouté et d'onctuosité mais aussi plus de vaisselle car il faut transvaser le liquide à mixer dans le bol.
• **Le robot multifonctions :** comme son nom l'indique, c'est un robot multi-usages.
Il possède divers outils tels que une lame, un fouet, un éminceur, un hachoir ou émulsionneur.

Quel thermostat ?

90°C : th. 3	150°C : th. 5	210°C : th. 7	270°C : th. 9
120°C : th. 4	180°C : th. 6	240°C : th. 8	300°C : th. 10

C'est tout.
Pour le reste, il n'y a qu'à suivre la recette !

CHIPS DE PARMESAN À L'ORIGAN

Parmesan en copeaux
150 g

Origan séché
1 cuil. à café

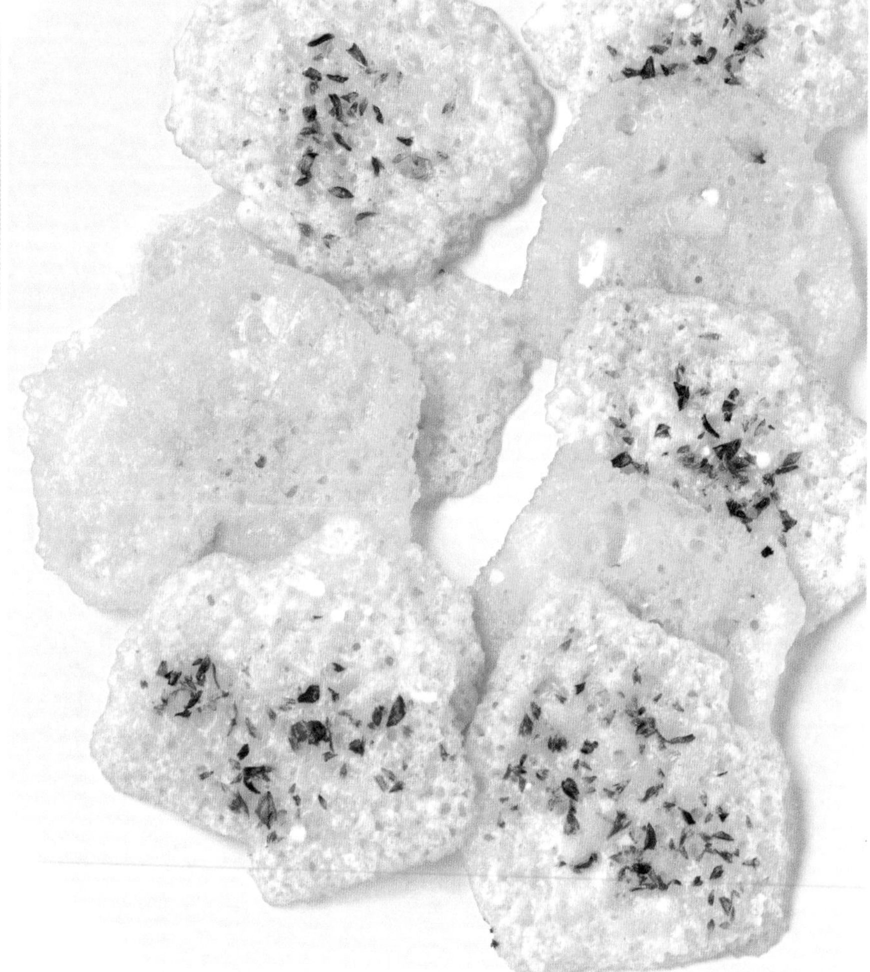

Préparation : 5 min
Cuisson : 5 min

- Déposez des petits tas de **parmesan** dans une poêle anti-adhésive bien chaude.
- Lorsqu'ils commencent à dorer, saupoudrez d'**origan**, retournez les chips et laissez cuire 1 min de plus.
- Égouttez les chips sur du papier absorbant, dégustez froid à l'apéritif.

FEUILLETÉS AU FROMAGE

Pâte feuilletée
x 1

Fromage râpé
200 g

Préparation : 5 min
Cuisson : 25 min

- Étalez la **pâte feuilletée** en laissant le papier de cuisson, répartissez le **fromage râpé** sur toute la surface. Roulez l'ensemble en serrant avec le papier et placez-le 20 min au congélateur.
- Étalez le papier sur une plaque. Coupez la pâte en tranches d'½ cm et placez-les sur la plaque.
- Enfournez 25 min à 180°C. Dégustez les feuilletés bien dorés et chauds à l'apéritif.

SABLÉS AU PARMESAN ET OLIVES

Olives noires
x 20 (dénoyautées)

Parmesan
150 g

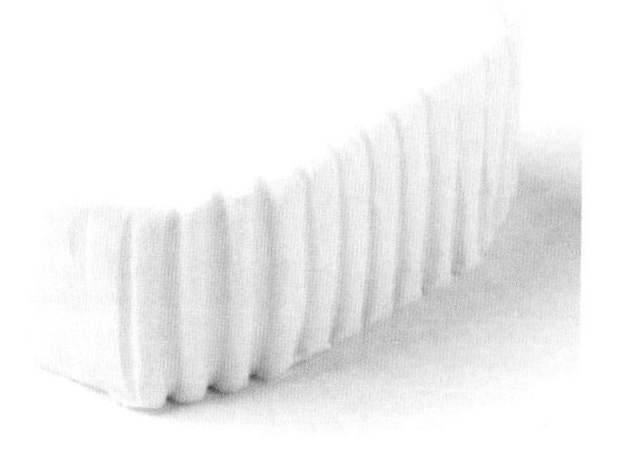

Beurre mou
100 g

Farine
100 g

Préparation : 25 min
Cuisson : 15 min
Repos : 1 h

- Hachez les **olives** et râpez le **parmesan**.
- Mélangez le **beurre** mou avec le **parmesan**, la **farine** et les **olives** hachées en malaxant.
- Formez des boudins et laissez reposer 1 h au réfrigérateur. Préchauffez le four à 180°C.
- Découpez des rondelles de 1 cm d'épaisseur et faites-les cuire 15 min sur une plaque.
- Laissez refroidir avant de les détacher.

PIZZETAS SAUCISSE, ROMARIN ET CITRON

Romarin
1 branche

Pâte à pizza
1 boule (surgelée)

Saucisse de Toulouse
200 g

Citron bio
x 1

 **Sel, poivre**

Préparation : 15 min
Cuisson : 25 min

- Préchauffez le four à 170°C. Effeuillez et hachez le **romarin**. Étalez la **pâte à pizza** et découpez 12 ronds de pâte à l'aide d'un petit emporte-pièce.
- Taillez la **saucisse** en 12 tranches. Placez une rondelle de saucisse sur chaque pâton et enfournez 25 min sur une plaque.
- Sortez du four, saupoudrez de **romarin** et du zeste du **citron** râpé.

CRÈME FOUETTÉE AU SAUMON FUMÉ

Saumon fumé
6 tranches

Aneth
1 botte

Crème fleurette
33 cl

Citrons bio
x 2

Préparation : 10 min

• Coupez le **saumon** en petits dés. Lavez et hachez l'**aneth**, montez la **crème** en chantilly avec un fouet électrique dans un bol bien froid.
• Ajoutez le **saumon**, l'**aneth**, les zestes râpés et le jus des **citrons** dans la chantilly et dressez dans des ramequins.

DIP DE FROMAGE FRAIS ET PETITS POIS

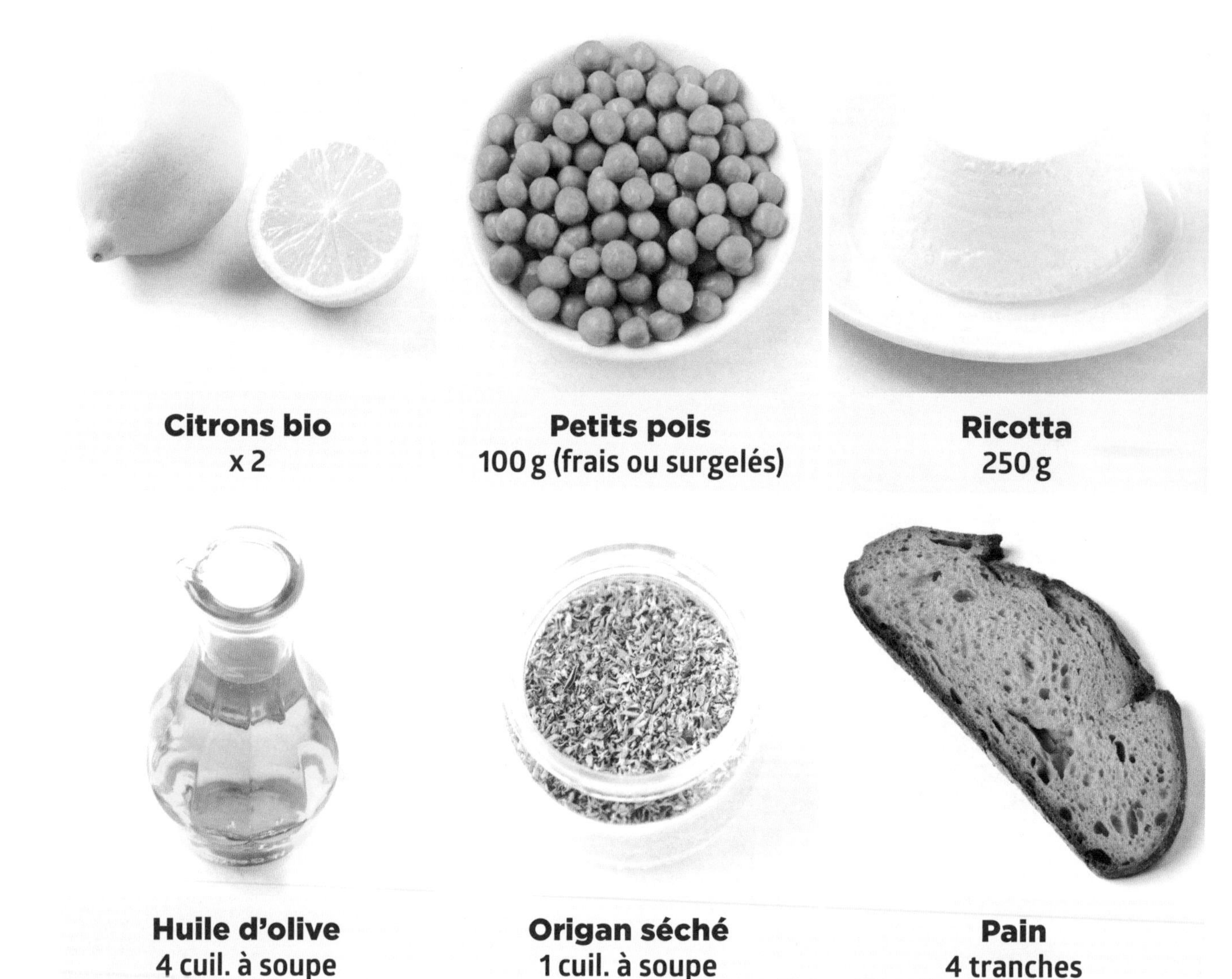

Citrons bio
x 2

Petits pois
100 g (frais ou surgelés)

Ricotta
250 g

Huile d'olive
4 cuil. à soupe

Origan séché
1 cuil. à soupe

Pain
4 tranches

Sel, poivre

Préparation : 10 min
Cuisson : 4 min

• Râpez le zeste des **citrons** et pressez le jus.
• Plongez les **petits pois** 2 min dans l'eau bouillante, égouttez-les puis mélangez-les avec la **ricotta**, l'**huile d'olive**, l'**origan**, le jus et le zeste des **citrons**.
• Salez, poivrez et dégustez sur des tranches de **pain** grillées.

CÉLERI AU SAUMON FUMÉ

Céleri branche
4 branches (petites)

Saumon fumé
4 tranches

Yaourts nature
x 2

Curry
1 cuil. à soupe

Huile d'olive
1 cuil. à soupe

Sel, poivre

Préparation : 10 min

• Taillez le **céleri** en petites branches régulières avec les feuilles ou non.

• Enveloppez-les de **saumon fumé**.

• Mélangez les **yaourts**, le **curry** et l'**huile d'olive**.

• Salez, poivrez et dégustez en trempant dans la sauce.

ABRICOTS FARCIS

Abricots
x 16 (fermes)

Boudin noir
200 g

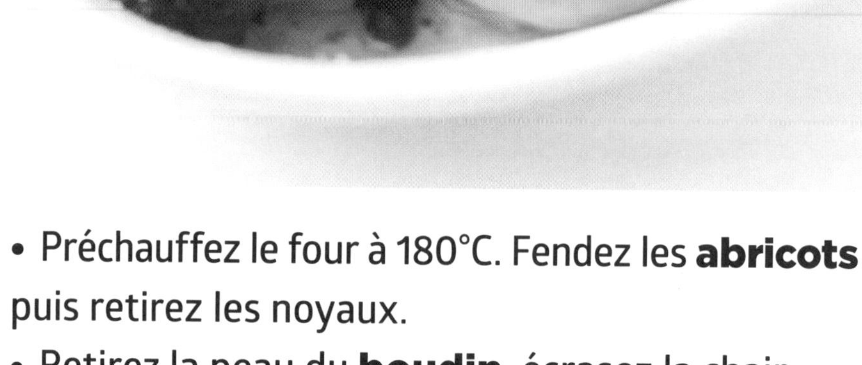

Préparation : 15 min
Cuisson : 25 min

- Préchauffez le four à 180°C. Fendez les **abricots** puis retirez les noyaux.
- Retirez la peau du **boudin**, écrasez la chair avec une fourchette.
- Farcissez la moitié des **abricots** avec le **boudin**, refermez avec l'autre moitié, placez-les dans un plat et enfournez 25 min.
- Dégustez bien chaud avec une salade de roquette.

ASPERGES RÔTIES AU JAMBON

Asperges vertes
x 20

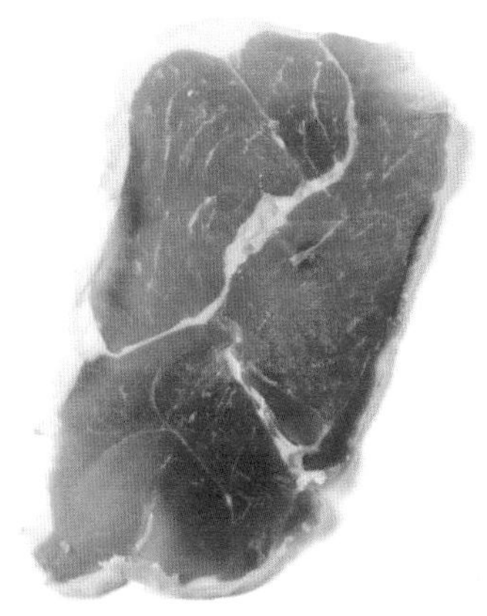

Jambon cru
10 tranches

Sel, poivre

Préparation : 5 min
Cuisson : 10 min

- Préchauffez le four à 180°C
- Épluchez et équeutez les **asperges**.
- Taillez les tranches de **jambon** en deux.
- Enveloppez chaque **asperge** avec une tranche de **jambon**.
- Enfournez-les 10 min.
- Dégustez tiède avec de la mayonnaise.

FOIE GRAS CHAUD À LA GRIOTTE

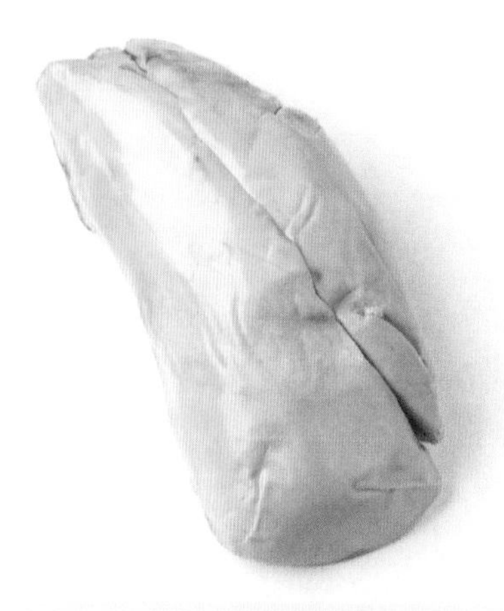

Foie gras dénervé
400 g (frais ou surgelé)

Cerises griottes
x 20 (fraîches ou surgelées)

Vinaigre balsamique
4 cuil. à soupe

 **Sel, poivre**

Préparation : 5 min
Cuisson : 6 min

• Découpez le **foie gras** en tranches épaisses et saisissez-les dans une poêle brûlante sans matière grasse.
• Laissez colorer 2 min de chaque côté.
• Ajoutez les **griottes** et le **vinaigre balsamique**, laissez cuire 1 min en arrosant le **foie gras**. Salez, poivrez et dégustez.

SASHIMI DE THON À LA PASTÈQUE

Sauce soja
3 cuil. à soupe

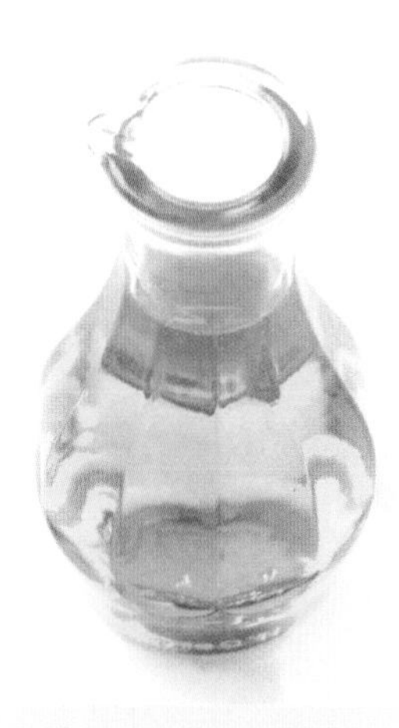

Huile d'olive
3 cuil. à soupe

Thon ou bonite
600 g (rouge ou blanc)

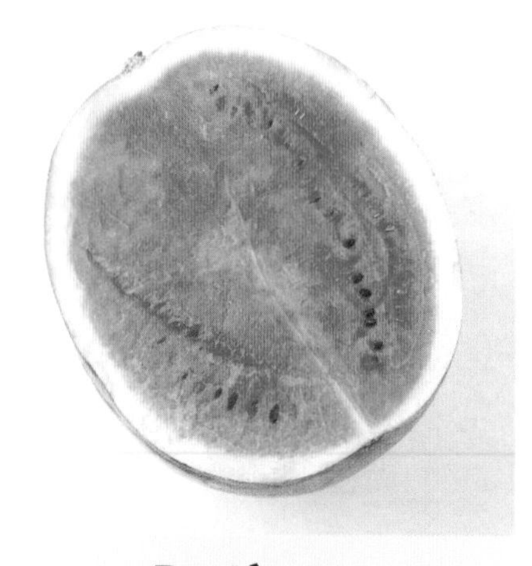

Pastèque
600 g (1 grosse tranche)

Préparation : 10 min

- Mélangez la **sauce soja** avec l'**huile d'olive**.
- Découpez le **thon** en petites tranches épaisses.
- Retirez la peau de la **pastèque** et taillez-la comme le **thon**.
- Disposez les tranches de **thon** et de **pastèque** en les alternant dans 4 assiettes.
- Réservez au frais. Nappez de sauce 2 min avant de servir et dégustez.

TARTARE DE SAINT-JACQUES ET FOIE GRAS

Avocat
x 1

Bloc de foie gras cuit
150 g

Saint-jacques sans corail
x 12 (fraîches ou surgelées)

Huile d'olive
2 cuil. à soupe

Citron vert
x 1

Sel, poivre

Préparation : 10 min

- Épluchez et découpez l'**avocat** en cubes.
- Taillez le **foie gras** et les **saint-jacques** en cubes de même taille.
- Mélangez tous les ingrédients dans un saladier, salez, poivrez et ajoutez l'**huile d'olive** et le jus du **citron**. Dégustez immédiatement avec du pain grillé.

CERISES AU LARD

Lard
10 tranches fines

Cerises
x 20

Préparation : 5 min
Cuisson : 10 min

• Préchauffez le four à 180°C. Coupez les tranches de **lard** en deux.

• Lavez et séchez les **cerises** puis enroulez-les dans les tranches de **lard**.

• Disposez dans un plat et enfournez 10 min. Dégustez tiède à l'apéro.

PÂTÉ CHAUD DE GIBIER À LA MYRTILLE

Gibier haché
300 g

Myrtilles
150 g (fraîches ou surgelées)

Sel (4 g)
Poivre (2 g)

Préparation : 10 min
Cuisson : 45 min

- Préchauffez le four à 180°C. Mélangez dans un saladier le **gibier** et les **myrtilles**, salez, poivrez puis malaxez.
- Garnissez 4 ramequins en les tassant et faites-les cuire 45 min au bain-marie.
- Servez et dégustez chaud accompagné d'une salade.

TERRINE DE CANARD À LA PISTACHE

Pistaches mondées
60 g

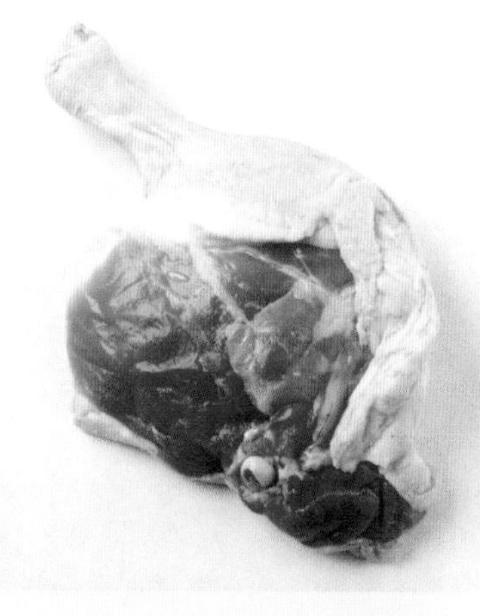

Cuisses de canard
800 g (environ 3)

Chair à saucisse
200 g

Œufs
x 2

Cognac
4 cuil. à soupe

Sel (4 g)

Poivre (2 g)

Préparation : 15 min
Cuisson : 1 h 15
Attente : 24 h

- Préchauffez le four à 170 °C. Concassez les **pistaches**. Désossez et hachez les **cuisses de canard** dans un robot puis mélangez-les avec les autres ingrédients dans un saladier en malaxant.
- Tassez et enfournez 1 h 15 au bain-marie.
- Laissez refroidir au réfrigérateur 24 h avant de déguster.

TERRINE DE FOIES DE VOLAILLE

Foies de volaille
500 g

Chair à saucisse
400 g

Œufs
x 2

Thym
1 cuil. à café frais ou séché

 **Sel (4 g)**

 **Poivre (2 g)**

Préparation : 15 min
Cuisson : 45 min
Attente : 12 h

- Préchauffez le four à 170°C. Découpez la moitié des **foies de volaille** en morceaux, hachez l'autre moitié dans un robot. Malaxez tous les ingrédients dans un saladier.
- Versez dans une terrine, tassez et faites cuire 45 min au bain-marie.
- Laissez refroidir une nuit au réfrigérateur et dégustez en tranches épaisses.

FOIE GRAS AU PAIN D'ÉPICE

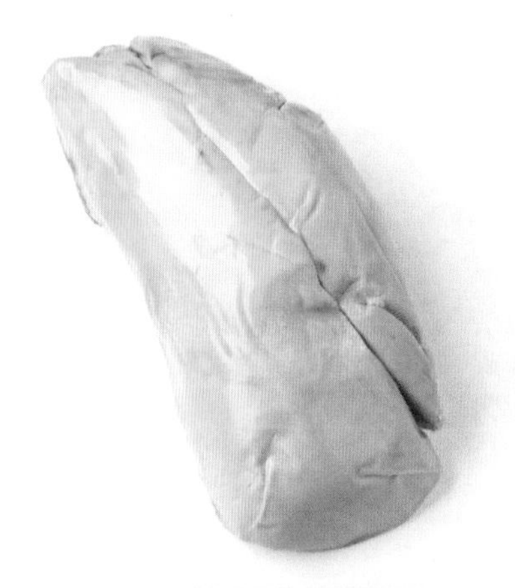

Foie gras dénervé
1 lobe (frais ou surgelé)

Pain d'épice
3 tranches

Sel (4g)
Poivre (2g)

Préparation : 10 min
Cuisson : 20 min
Attente : 12 h

- Préchauffez le four à 180°C. Coupez le **pain d'épice** en trois et le **foie gras** en cinq, salez, poivrez. Placez le **foie gras** et le **pain d'épice** dans un bocal en alternant les couches.
- Tassez, fermez le bocal et enfournez 20 min au bain-marie.
- Laissez refroidir une nuit au réfrigérateur avant de déguster.

FOIE GRAS AU SEL

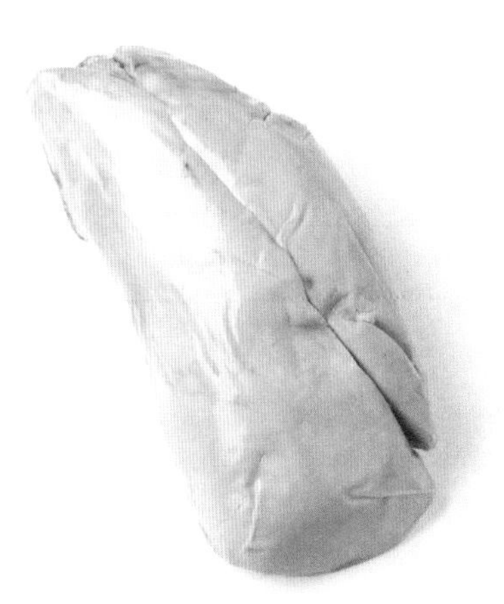

Foie gras dénervé
1 lobe (frais ou surgelé)

Gros sel gris
500 g

Sel, poivre

Préparation : 10 min
Attente : 12 h

• La veille, enveloppez le **foie gras** dans un linge léger (type compresse de gaze). Placez-le dans un plat, recouvrez de **gros sel** et réservez 12 h au réfrigérateur.

• Le jour même, retirez le **sel** et le linge, essuyez le **foie gras**. Découpez en tranches puis dégustez avec des toasts de brioche.

FOIE GRAS AU CHOU

Chou chinois
8 feuilles

Foie gras dénervé
500 g (frais ou surgelé)

Sel, poivre

Préparation : 10 min
Cuisson : 20 min

- Plongez les feuilles de **chou**, 2 min dans l'eau bouillante. Rafraîchissez-les et coupez-les en deux.
- Coupez le **foie gras** en 8 morceaux, salez, poivrez et enveloppez chaque morceau dans une ½ feuille de **chou**.
- Faites cuire le **foie gras** 5 min dans un cuit-vapeur, égouttez les morceaux dans un plat et dégustez nature ou avec une vinaigrette.

TERRINE DE JARRET DE PORC AU FOIE GRAS

Jarret de porc demi-sel
1 kg (cuit avec os)

Foie gras dénervé
250 g (frais ou surgelé)

Sel, poivre

Préparation : 15 min
Cuisson : 30 min
Attente : 12 h

- Plongez le **jarret** 10 min dans l'eau bouillante. Égouttez, laissez tiédir, désossez et découpez la chair avec la couenne en petits morceaux.
- Préchauffez le four à 180°C. Placez les morceaux de **jarret** avec le **foie gras** coupé en quatre dans une terrine. Tassez bien puis enfournez 20 min.
- Placez au frais une nuit. Démoulez et dégustez en tranches épaisses avec une salade.

TERRINE DE JARRET À LA MOUTARDE

Jarret de porc demi-sel
1 kg (cuit avec os)

Moutarde en grains
3 cuil. à soupe

Sel, poivre

Préparation : 15 min
Cuisson : 10 min
Attente : 12 h

- Plongez le **jarret** 10 min dans l'eau bouillante.
- Égouttez, laissez tiédir, désossez et découpez la chair avec la couenne en petits morceaux.
- Mélangez avec la **moutarde** puis tassez les morceaux de **jarret** dans une terrine.
- Placez au frais une nuit. Démoulez et dégustez en tranches épaisses avec une salade.

CRÈME DE CHOU-FLEUR CARAMÉLISÉ

Chou-fleur
x 1 (900 g)

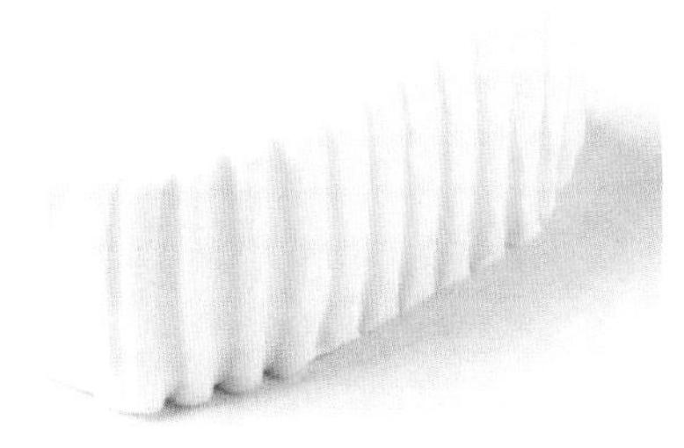

Beurre
100 g

 **Sel, poivre**

Préparation : 10 min
Cuisson : 25 min

- Coupez le **chou-fleur** en petits morceaux et faites-le cuire 20 min dans une casserole avec de l'eau à hauteur. Égouttez-le (gardez l'eau de cuisson).
- Faites fondre le **beurre** dans une casserole, saisissez le **chou-fleur** dans le **beurre** brûlant, laissez roussir quelques minutes.
- Mouillez avec l'eau de cuisson, portez à ébullition et mixez. Salez, poivrez et dégustez.

CRÈME D'ARTICHAUT AU FOIE GRAS

Fonds d'artichaut
400 g (en boîte ou surgelés)

Crème
30 cl

Bloc de foie gras cuit
120 g

Huile d'olive
1 cuil. à soupe

 **Sel, poivre**

Préparation : 15 min
Cuisson : 8 min

- Portez à ébullition les **fonds d'artichaut**, 40 cl d'eau et la **crème**. Mixez avec un mixeur plongeant, salez, poivrez.
- Découpez le **foie gras** en cubes.
- Dressez la crème dans des assiettes creuses, ajoutez le **foie gras**, l'**huile d'olive**, poivrez et dégustez.

GASPACHO AUX ASPERGES

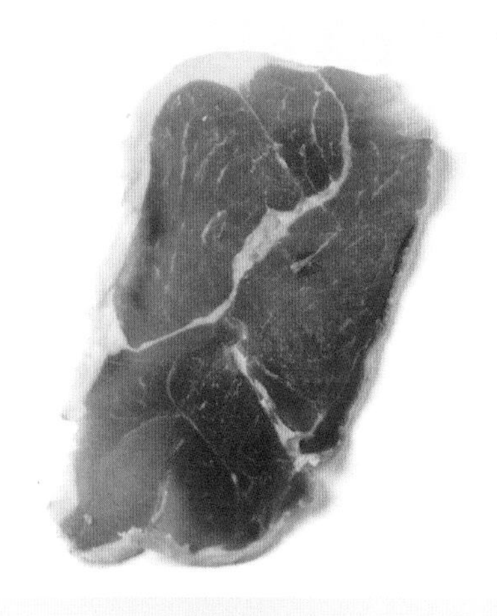

Jambon cru
4 tranches

Asperges vertes
x 8

Asperges blanches
2 grands bocaux (640 g)

Huile d'olive
2 cuil. à soupe

 **Sel, poivre**

Préparation : 10 min
Cuisson : 15 min

- Enfournez 10 min à 180°C les tranches de **jambon** et les **asperges vertes** épluchées et équeutées. Découpez l'ensemble en morceaux.
- Chauffez les **asperges blanches** avec leur eau puis mixez-les dans un blender.
- Dressez les assiettes et recouvrez d'**asperges vertes**, de **jambon** découpé en morceaux et d'un filet d'**huile d'olive**.

CRÈME DE CÉLERI AUX ŒUFS DE SAUMON

Céleri-rave
500 g

Crème
5 cl

Œufs de saumon
2 cuil. à soupe

Huile d'olive
2 cuil. à soupe

  **Sel, poivre**

Préparation : 20 min
Cuisson : 45 min

- Épluchez et découpez le **céleri** en cubes et faites-les cuire 35 min à l'eau bouillante salée.
- Retirez l'eau, ajoutez la **crème** et laissez cuire 10 min de plus. Salez, poivrez puis mixez l'ensemble et laissez refroidir.
- Dressez le **céleri** dans des petites tasses, répartissez les **œufs de saumon**, ajoutez un filet d'**huile d'olive** et dégustez.

CRÈME DE CHOU-FLEUR, HUILE DE SÉSAME

Chou-fleur
500 g

Crème
1 cuil. à soupe

Graines de sésame
2 cuil. à café

Huile de sésame
4 cuil. à café

  **Sel, poivre**

Préparation : 15 min
Cuisson : 40 min

• Découpez le **chou-fleur** en petits morceaux, mettez-les dans une casserole, mouillez à hauteur avec de l'eau et faites cuire 40 min à feu doux.
• Mixez avec un mixeur plongeant, ajoutez la **crème**, salez, poivrez. Dressez dans des bols individuels, saupoudrez de **graines de sésame**, ajoutez un filet d'**huile de sésame** et dégustez.

GASPACHO DE COURGETTES AU BASILIC

Basilic
1 botte

Courgettes
x 4

Pesto
3 cuil. à café

Huile d'olive
6 cuil. à soupe

Sel, poivre

Préparation : 10 min
Cuisson : 30 min

- Lavez et effeuillez le **basilic**. Mettez les **courgettes**, lavées et coupées, à cuire 30 min dans une casserole avec 25 cl d'eau.
- Ajoutez le **pesto**, l'**huile d'olive** et les ¾ des feuilles de **basilic**. Mixez avec un mixeur plongeant, salez, poivrez et laissez refroidir.
- Ajoutez le reste du **basilic** et dégustez.

GASPACHO TOMATES ET POIVRONS

Poivrons rouges
x 2

Concombre
x 1

Huile d'olive
6 cuil. à soupe

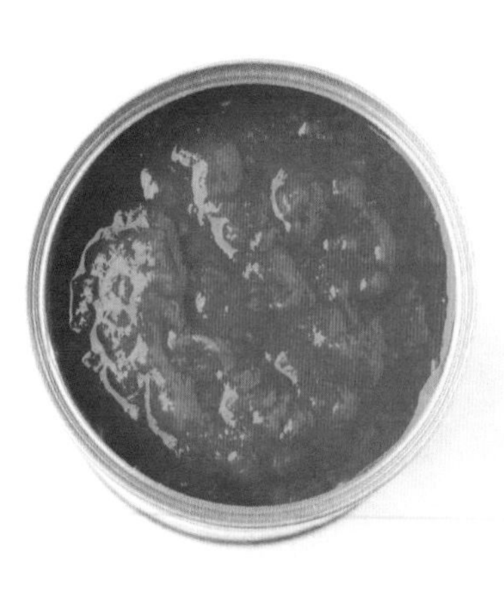

Tomates concassées
1 boîte (800 g)

Vinaigre
4 cuil. à soupe

Tomates cerise
200 g

Sel, poivre

Préparation : 10 min
Cuisson : 5 min

• Équeutez et videz les **poivrons**, puis plongez-les 5 min dans une casserole d'eau bouillante.
• Épluchez, épépinez et coupez en cubes le **concombre**. Mixez tous les ingrédients sauf les **tomates cerise** dans un blender.
• Salez, poivrez et ajoutez les **tomates cerise** coupées en deux. Dégustez.

CRÈME DE POTIRON À LA NOISETTE

Noisettes
x 20

Potiron
800 g

Crème
20 cl

Hulle de noisette
4 cuil. à soupe

Sel, poivre

Préparation : 10 min
Cuisson : 40 min

- Concassez les **noisettes**. Épluchez le **potiron** et découpez la chair en gros cubes.
- Mettez-la à cuire 35 min dans une casserole avec de l'eau à hauteur.
- Ajoutez la **crème** et l'**huile**. Portez à ébullition et mixez avec un mixeur plongeant. Salez, poivrez et dégustez avec les **noisettes** et un filet d'**huile de noisette**.

BOUILLON REPAS/SAUMON SAUCE COLOMBO

Brocoli
250 g

Vermicelles de riz
70 g

Fond de volaille
½ tablette

Pâte à colombo
2 cuil. à soupe

Filets de saumon
700 g (sans peau ni arête)

Sel, poivre

Préparation : 10 min
Cuisson : 7 min

- Taillez le **brocoli** en petits morceaux.
- Réunissez tous les ingrédients sauf le **saumon** dans une grande casserole avec 1,2 l d'eau. Laissez cuire 5 min à feu doux en remuant.
- Coupez le **saumon** en cubes, ajoutez-le dans le bouillon, laissez cuire 2 min de plus.
- Dressez dans des grands bols et dégustez bien chaud.

BOUILLON REPAS/CREVETTES, COCO, CURRY

Basilic asiatique
20 feuilles

Crevettes crues
x 20 (décortiquées)

Vermicelles de riz
80 g

Fond de volaille
½ tablette

Curry
2 cuil. à soupe

Lait de coco
80 cl

Sel, poivre

Préparation : 10 min
Cuisson : 15 min
Repos : 5 min

- Lavez et hachez le **basilic**. Décortiquez les **crevettes**.
- Réunissez tous les ingrédients dans une cocotte avec 60 cl d'eau, sauf le **basilic** et le **vermicelle**. Faites cuire 15 min à feu doux.
- Ajoutez le **basilic** et le **vermicelle**. Laissez reposer 5 min, mélangez et dégustez.

BOUILLON REPAS/POULET COURGETTE

Basilic
20 feuilles

Courgettes
x 2

Oignons verts
x 2

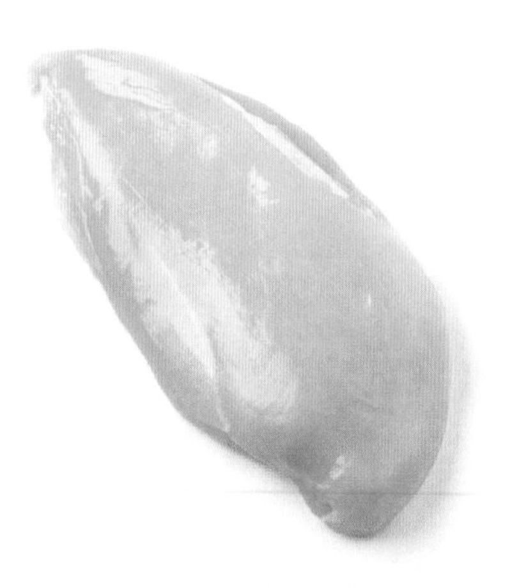

Blancs de poulet
x 4

Fond de volaille
½ tablette

Sel, poivre

Préparation : 10 min
Cuisson : 20 min

• Lavez et hachez le **basilic**. Équeutez puis émincez les **courgettes** et les **oignons**.
• Découpez le **poulet** en morceaux. Réunissez tous les ingrédients sauf le **basilic** dans une cocotte avec 1,2 l d'eau. Faites cuire 20 min à feu doux.
• Ajoutez le **basilic**. Laissez reposer 5 min, mélangez et dégustez.

BOUILLON REPAS/BŒUF, MOUTARDE

Tomates cerise
x 20

Bœuf haché
300 g

Fond de volaille
½ tablette

Moutarde de Dijon
1 cuil. à soupe

Thym séché
2 cuil. à café

Coquillettes
80 g

Sel, poivre

Préparation : 10 min
Cuisson : 20 min

• Lavez et découpez les **tomates cerise** en deux. Moulez le **bœuf** en petites boulettes.

• Réunissez tous les ingrédients dans une cocotte avec 1,2 l d'eau, sauf les boulettes de **bœuf**. Faites cuire 20 min à feu vif, en remuant de temps en temps.

• Ajoutez les boulettes. Laissez reposer 5 min, mélangez et dégustez.

CHÈVRES CHAUDS SUR SALADE CROQUANTE

Asperges vertes
x 20

Haricots verts
400 g

Crottins de chavignol
x 4

Pain baguette
8 tranches

Miel liquide
2 cuil. à soupe

Vinaigre de cidre
2 cuil. à soupe

Sel, poivre

Préparation : 15 min
Cuisson : 20 min

- Épluchez et faites cuire les **asperges** et les **haricots verts** à l'eau bouillante salée.
- Coupez les **crottins** en deux et posez-les dans un plat sur les tranches de **pain**, arrosez de **miel** et enfournez 10 min à 180°C.
- Placez les **asperges** et les **haricots verts** dans un plat, ajoutez les toasts chauds, assaisonnez avec le **vinaigre** et dégustez.

ASPERGES, PARMESAN, ŒUF MOLLET

Asperges vertes
x 20

Huile d'olive
4 cuil. à soupe

Oranges
x 2

Œufs
x 4

Parmesan en copeaux
150 g

Sel, poivre

Préparation : 15 min
Cuisson : 10 min

• Épluchez et faites cuire les **asperges** 5 min à l'eau bouillante salée. Mélangez l'**huile d'olive**, les zestes et le jus des **oranges**.

• Faites cuire les **œufs** 5 min précises à l'eau bouillante. Épluchez-les dans l'eau fraîche.

• Dressez les **asperges** dans un plat, posez les **œufs** dessus. Recouvrez de sauce à l'**orange** et de **parmesan**, salez et poivrez.

SALADE DE HARICOTS FRAIS AU PESTO

Haricots frais
1 kg

Oignons rouges
x 2 (petits)

Pesto
2 cuil. à soupe

Huile d'olive
4 cuil. à soupe

Crème liquide
2 cuil. à soupe

Basilic
8 feuilles

Sel, poivre

Préparation : 10 min
Cuisson : 30 min

- Écossez les **haricots**. Faites-les cuire à l'eau bouillante pendant 30 min et laissez-les refroidir dans l'eau de cuisson.
- Épluchez et émincez les **oignons**.
- Égouttez les **haricots** et mélangez-les avec le **pesto**, le **basilic**, les **oignons**, l'**huile d'olive** et la **crème**. Salez, poivrez et dégustez.

MELON AU SAUMON FUMÉ ET À LA MENTHE

Melon
x 1

Saumon fumé
4 tranches

Menthe
4 branches

Huile d'olive
6 cuil. à soupe

Citron vert
½

Sel, poivre

Préparation : 10 min
Repos : 2 min

- Découpez le **melon** en cubes, le **saumon** en petits dés, effeuillez et ciselez la **menthe**.
- Mélangez le **saumon**, la **menthe** et le **melon**.
- Ajoutez l'**huile d'olive** et le jus du **citron**. Salez et poivrez.
- Mélangez, réservez 2 min et dégustez.

SALADE AU MELON, TOMATES ET BASILIC

Melon
x1

Tomates cerise
x20

Huile d'olive
4 cuil. à soupe

Basilic
20 feuilles

Origan séché
1 cuil. à café

Sel, poivre

Préparation : 5 min

- Découpez le **melon** en cubes, et les **tomates** en deux.
- Mélangez-les avec l'**huile d'olive**, les feuilles de **basilic** et l'**origan**, salez, poivrez puis dégustez.

AVOCATS AU SAUMON FUMÉ

Saumon fumé
4 tranches épaisses

Aneth
4 branches

Citrons verts
x 2

Huile d'olive
4 cuil. à soupe

Avocats
x 4 (bien mûrs)

Ciboulette
1 botte

Sel, poivre

Préparation : 10 min

• Mélangez dans un saladier le **saumon fumé** en petits dés, l'**aneth** haché, la **ciboulette** ciselée, le jus des **citrons verts** et l'**huile d'olive**, salez, poivrez.

• Ouvrez les **avocats**, retirez les noyaux, garnissez-les avec le **saumon fumé** et dégustez immédiatement.

SALADE LENTILLES, SAUMON ET ESTRAGON

Lentilles vertes
200 g

Pavés de saumon
2 x 200 g (sans peau)

Estragon
8 branches

Moutarde en grains
1 cuil. à soupe

Huile d'olive
4 cuil. à soupe

Sel, poivre

Préparation : 5 min
Cuisson : 25 min

- Faites cuire les **lentilles** 20 min dans une grande quantité d'eau.
- Ajoutez le **saumon** et laissez cuire 5 min de plus sans remuer. Égouttez l'ensemble, laissez tiédir.
- Lavez et hachez l'**estragon**.
- Découpez le **saumon** et mélangez-le aux **lentilles** avec tous les ingrédients, salez, poivrez et servez.

TABOULÉ AU SAUMON ET RADIS

Radis roses
x 8

Menthe
20 feuilles

Citrons
x 2 (ou 4 cuil. à soupe de jus)

Pavés de saumon
2 x 200 g (sans peau)

Semoule fine
4 cuil. à soupe

Huile d'olive
4 cuil. à soupe

Sel, poivre

Préparation : 10 min
Attente : 25 min

- Lavez et taillez les **radis** en tranches fines.
- Lavez et ciselez la **menthe**, pressez le jus des **citrons**, coupez le **saumon** en petits cubes.
- Mélangez **la semoule**, les **radis**, le **saumon**, la **menthe**, le jus de **citron** et l'**huile d'olive**, salez, poivrez. Laissez gonfler 25 min au réfrigérateur et dégustez froid.

SALADE DE BŒUF RÔTI AU BASILIC

Basilic
1 botte

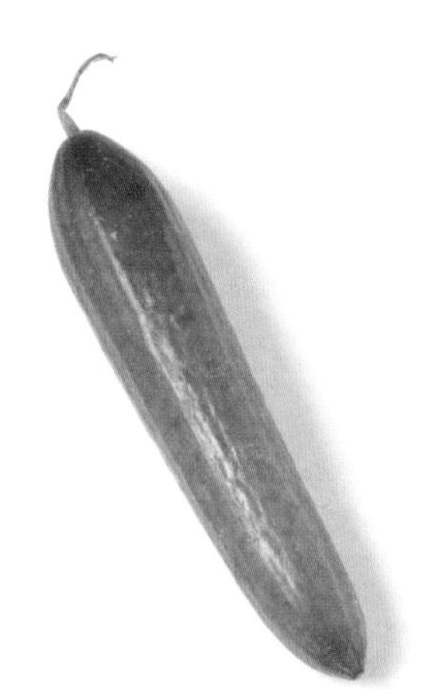

Concombre
¼

Rôti de bœuf cuit
400 g

Huile d'olive
2 cuil. à soupe

Sauce soja
1 cuil. à soupe

Poivre

Préparation : 15 min
Cuisson : 5 min

- Lavez et effeuillez le **basilic**. Taillez le **concombre** en tranches fines.
- Découpez la viande en tranches fines, mélangez avec le **concombre** et le **basilic**.
- Ajoutez l'**huile d'olive** et la **sauce soja** et dégustez.

SALADE THAÏE

Coriandre
1 botte

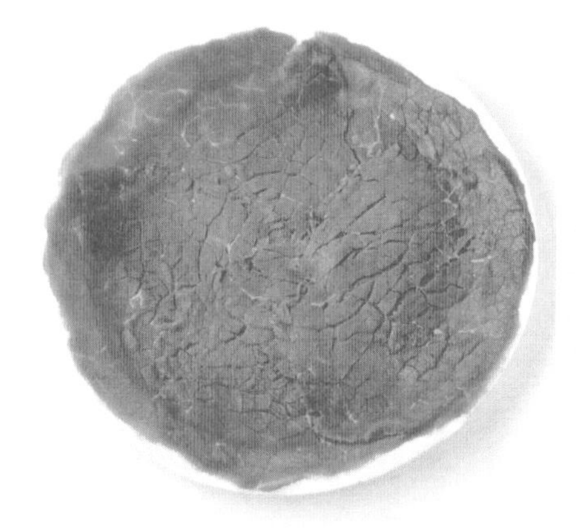

Carpaccio de bœuf
400 g (environ 4 portions)

Graines de sésame
2 cuil. à soupe

Citrons verts
x 2

Sauce soja
4 cuil. à soupe

Piment vert
x 1 (petit)

Préparation : 10 min
Cuisson : 1 min

• Lavez et hachez la **coriandre**. Saisissez la viande 1 min avec 1 cuil. d'**huile** dans une poêle, arrêtez le feu.

• Laissez refroidir puis ajoutez le **sésame**, le jus des **citrons**, la **coriandre**, la **sauce soja** et le **piment** haché. Mélangez et dégustez avec du riz.

SALADE AU ROQUEFORT

Échalotes
x 4 (grosses)

Farine
100 g

Salades sucrine
x 4

Roquefort
150 g

Huile de noix
8 cuil. à soupe

Vinaigre de cidre
4 cuil. à soupe

Sel, poivre
+ 1 bain de friture

Préparation : 20 min
Cuisson : 5 min

• Épluchez et émincez les **échalotes**. Passez-les dans la **farine**. Faites-les frire et réservez.
• Coupez les **salades** en quatre, coupez le **roquefort** en petits morceaux.
• Mélangez tous les ingrédients dans un saladier avec l'**huile** et le **vinaigre**. Salez, poivrez et dégustez.

SALADE DE FOIES DE VOLAILLE À L'ABRICOT

Abricots
x 8

Foies de volaille
x 8

Roquette
2 poignées (80 g)

Huile d'olive
4 cuil. à soupe

Vinaigre balsamique
2 cuil. à soupe

Sel, poivre

Préparation : 10 min
Cuisson : 2 min

• Ouvrez les **abricots** et retirez les noyaux, découpez les **foies de volaille** en deux, lavez et égouttez la **roquette**.
• Chauffez l'**huile** dans une grande poêle, saisissez les **foies** 1 min, retournez-les, puis ajoutez les **abricots** et le **vinaigre**, laissez cuire 1 min de plus, dressez sur la **roquette** et dégustez immédiatement.

COQUILLETTES AU FOIE GRAS ET ABRICOT

Bloc de foie gras cuit
160 g (en boîte ou surgelé)

Abricots secs
x 8

Coquillettes
300 g

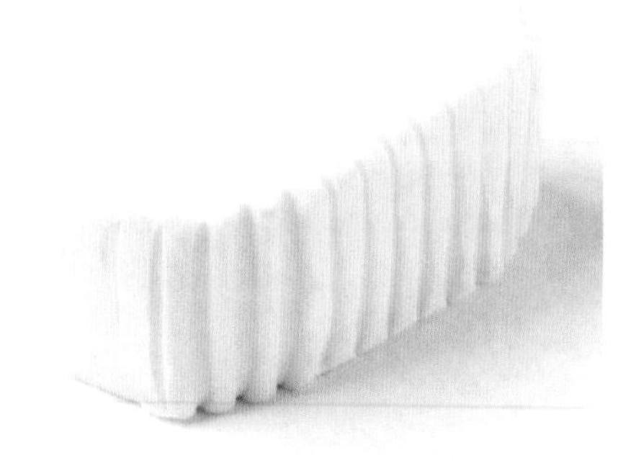

Beurre
50 g

 **Sel, poivre**

Préparation : 10 min
Cuisson : 15 min

- Coupez le **foie gras** et les **abricots** en petits cubes réguliers.
- Faites cuire les **coquillettes** à l'eau bouillante salée, égouttez-les et versez-les dans une poêle, ajoutez le **beurre**, le **foie gras** et les **abricots**.
- Chauffez 5 ou 6 min en remuant, salez, poivrez et dégustez.

FARFALLES À LA TRÉVISE ET AUX NOISETTES

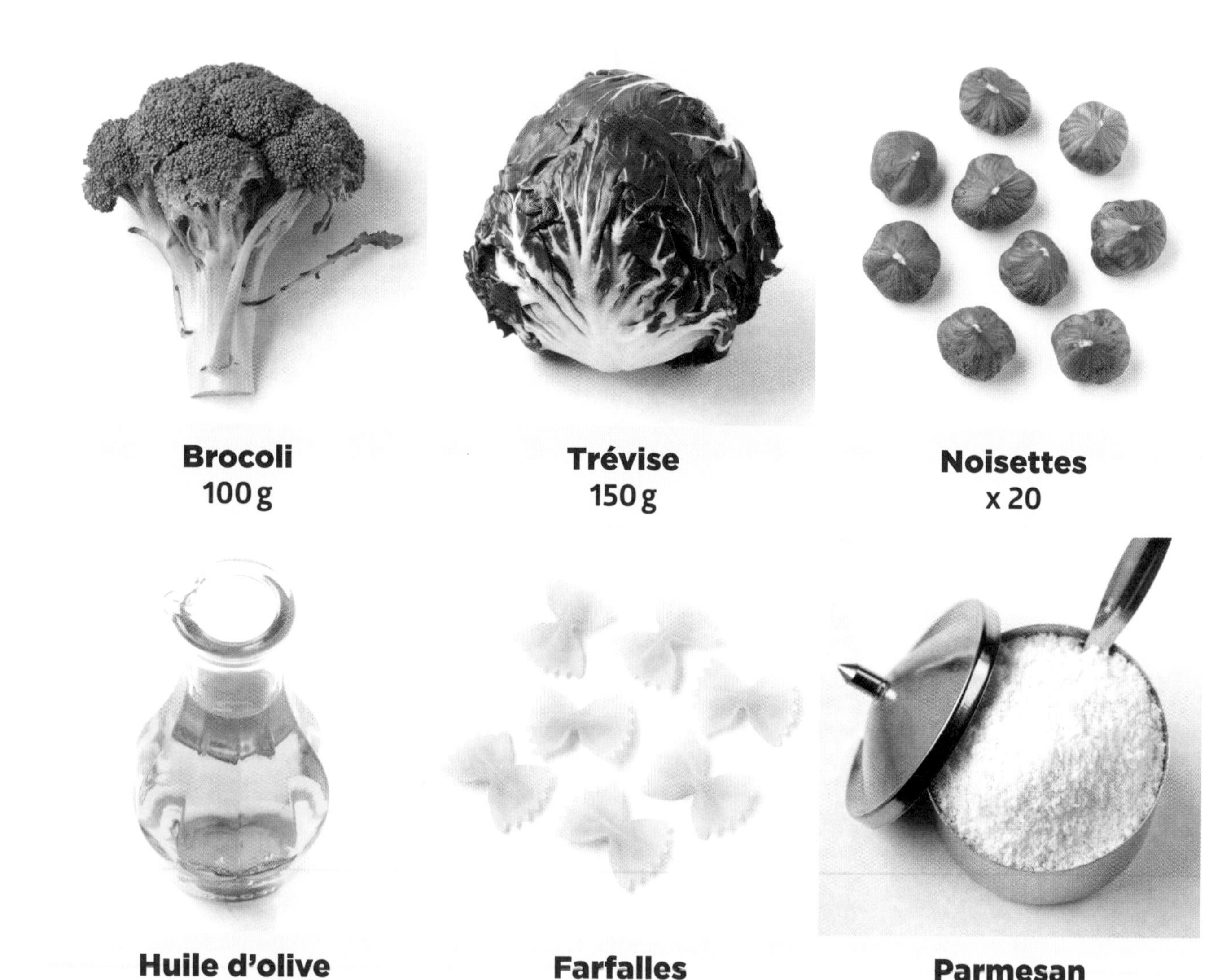

Brocoli
100 g

Trévise
150 g

Noisettes
x 20

Huile d'olive
4 cuil. à soupe

Farfalles
300 g

Parmesan
100 g

Sel, poivre

Préparation : 15 min
Cuisson : 25 min

• Coupez le **brocoli** en morceaux, émincez la **trévise**, écrasez les **noisettes** et saisissez l'ensemble avec l'**huile d'olive** dans une poêle. Laissez cuire 10 min à feu doux. Faites cuire les **farfalles** (*al dente*) à l'eau bouillante salée.

• Égouttez-les et versez-les dans la poêle, ajoutez 1 cuil. de l'eau de cuisson, le **parmesan** râpé, les légumes, salez, poivrez, et chauffez 5 min.

FARFALLES AUX LÉGUMES VERTS

Courgette
x 1

Asperges vertes
x 10

Petits pois
200 g (frais ou surgelés)

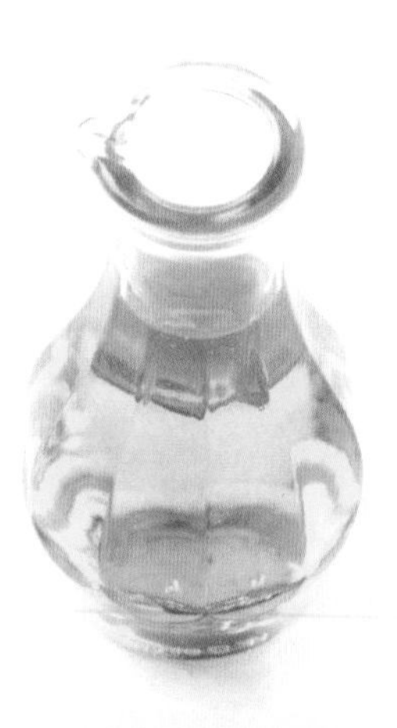

Huile d'olive
4 cuil. à soupe

Farfalles
300 g

Ciboulette
1 botte

Sel, poivre

Préparation : 15 min
Cuisson : 25 min

- Coupez la **courgette** en rondelles, épluchez et coupez les **asperges** en deux. Saisissez les légumes 10 min dans une poêle avec l'**huile d'olive**.
- Faites cuire les **farfalles** (*al dente*) à l'eau bouillante salée. Égouttez-les et versez-les dans la poêle, ajoutez 1 cuil. à soupe d'eau de cuisson, la **ciboulette** ciselée. Chauffez 5 min en remuant et servez avec du parmesan.

FUSILLIS À LA SARDINE

Clémentines
x 2

Pignons
30 g

Fusillis
300 g

Sardines à l'huile d'olive
x 2 boîtes

Raisins secs
30 g

Sel, poivre

Préparation : 10 min
Cuisson : 15 min

- Épluchez et taillez les **clémentines** en morceaux.
- Dorez les **pignons** dans une poêle sans matière grasse. Faites cuire les **pâtes** (*al dente*) à l'eau bouillante salée.
- Égouttez-les et versez-les dans la poêle, ajoutez 2 cuil. à soupe d'eau de cuisson, les **sardines** avec l'**huile**, les **raisins** et les **clémentines**.
- Chauffez en remuant, saupoudrez de **pignons**.

GRATIN DE MACARONIS AU JAMBON

Macaronis
300 g

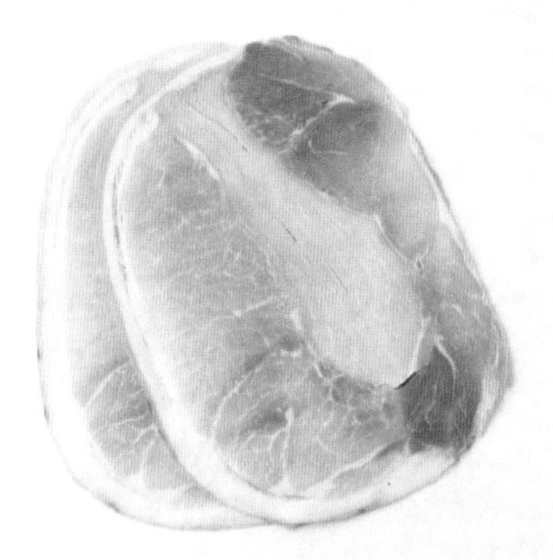

Jambon
250 g (talon)

Fromage râpé
150 g

Crème
40 cl

 **Sel, poivre**

Préparation : 5 min
Cuisson : 45 min

• Préchauffez le four à 180°C. Faites cuire les **macaronis** (*al dente*) à l'eau bouillante salée. Égouttez-les et versez-les dans un plat à gratin.

• Ajoutez le **jambon** en petits morceaux, le **fromage râpé**, la **crème**, salez, poivrez, mélangez puis enfournez 35 min. Lorsque le gratin est bien doré, dégustez chaud avec une salade verte.

RIGATONIS ARABIATA À L'AUBERGINE

Aubergine
x 1 (grosse)

Huile d'olive
4 cuil. à soupe

Chorizo
8 tranches

Origan séché
2 cuil. à soupe

Rigatonis
300 g

Sel, poivre

Préparation : 10 min
Cuisson : 35 min

• Saisissez l'**aubergine** coupée en morceaux dans une poêle avec l'**huile d'olive**. Ajoutez le **chorizo** et l'**origan**, laissez roussir 20 min en remuant.

• Faites cuire les **rigatonis** (*al dente*) à l'eau bouillante salée. Égouttez-les et versez-les dans la poêle, ajoutez 1 cuil. à soupe d'eau de cuisson et chauffez l'ensemble 5 min, salez et poivrez.

RIGATONIS AU CONFIT DE CANARD

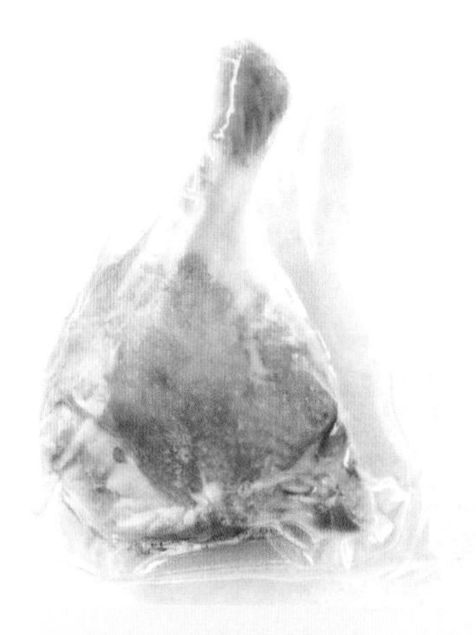

Canard confit
2 cuisses

Champignons de Paris
300 g

Ail
2 gousses

Rigatonis
300 g

Ciboulette
1 botte

Parmesan râpé
100 g

Sel, poivre

Préparation : 10 min
Cuisson : 25 min

• Hachez la chair du **canard** avec la peau. Faites cuire 10 min dans une poêle avec les **champignons** émincés et l'**ail** haché.
• Faites cuire les **rigatonis** (*al dente*) à l'eau bouillante salée. Égouttez-les et versez-les dans la poêle, ajoutez 1 cuil. d'eau de cuisson, le **parmesan**, la **ciboulette** ciselée, les légumes et le **canard**. Laissez cuire 2 min en remuant.

PENNE AUX ROUGETS

Huile d'olive
4 cuil. à soupe

Oignons rouges
x 2

Filets de rouget
x 4 (frais ou surgelé)

Origan séché
1 cuil. à soupe

Penne
300 g

Sel, poivre

Préparation : 15 min
Cuisson : 25 min

- Chauffez l'**huile** dans une poêle, saisissez les **oignons** émincés, laissez roussir 2 min, ajoutez les **rougets** et l'**origan** et poursuivez la cuisson 10 min en remuant.
- Faites cuire les **penne** (*al dente*) dans l'eau bouillante salée, égouttez-les et versez-les dans la poêle avec 2 cuil. à soupe d'eau de cuisson.
- Chauffez en remuant, ajoutez les **rougets**.

PENNE AU POTIRON ET NOIX

Potiron
1 tranche (environ 400 g)

Huile de noix
4 cuil. à soupe

Penne
400 g

Noix
10 cerneaux

Parmesan râpé
100 g

Sel, poivre

Préparation : 5 min
Cuisson : 45 min

- Mettez le **potiron** au four 35 min à 180°C avec 2 cuil. à soupe d'**huile de noix**.
- Faites cuire les **penne** *(al dente)*. Écrasez le **potiron** cuit à la fourchette. Concassez les **noix**.
- Mélangez le **potiron**, 2 cuil. à soupe d'**huile**, les **penne** et les **noix** dans une poêle, chauffez 3 min. Salez, poivrez, ajoutez le **parmesan râpé** et dégustez.

PENNE AU POIVRON ET BASILIC

Poivrons rouges
x 2

Ail
4 gousses

Penne
300 g

Parmesan râpé
100 g

Basilic
30 feuilles

Sel, poivre

Préparation : 20 min
Cuisson : 40 min

• Coupez les **poivrons** en morceaux, épluchez l'**ail** puis faites cuire l'ensemble 25 min dans une casserole avec 30 cl d'eau. Mixez avec un mixeur plongeant.

• Faites cuire les **penne** (*al dente*) à l'eau bouillante salée. Égouttez-les et versez-les dans la poêle, ajoutez le coulis, le **parmesan râpé** et le **basilic**, salez, poivrez et chauffez 5 min en remuant.

SPAGHETTIS AUX COQUES

Coques
1,5 l

Huile d'olive
4 cuil. à soupe

Ail
4 gousses

Persil plat
8 branches

Spaghettis
300 g

Sel, poivre

Préparation : 15 min
Cuisson : 25 min

- Ouvrez les **coques** dans une grande poêle, ajoutez l'**huile d'olive**, l'**ail** et le **persil** haché.
- Faites cuire les **spaghettis** (*al dente*) à l'eau bouillante salée.
- Égouttez-les et versez-les dans la poêle avec les **coques**, faites cuire 5 min de plus en remuant, salez, poivrez et dégustez.

SPAGHETTIS À LA POUTARGUE

Spaghettis
300 g

Crème
20 cl

Poutargue
200 g

Huile d'olive
4 cuil. à soupe

 **Sel, poivre**

Préparation : 5 min
Cuisson : 15 min

- Faites cuire les **spaghettis** (*al dente*) à l'eau bouillante salée.
- Égouttez-les et versez-les dans la poêle, ajoutez 2 cuil. à soupe d'eau de cuisson, la **crème** et la **poutargue** hachée au couteau.
- Salez, poivrez et chauffez 5 min en remuant, dressez dans des assiettes creuses, arrosez d'**huile d'olive**.

SPAGHETTIS AUX ASPERGES ET À L'ORANGE

Asperges vertes
x 10

Orange
x 1

Huile d'olive
4 cuil. à soupe

Spaghettis
300 g

Parmesan râpé
100 g

 **Sel, poivre**

Préparation : 10 min
Cuisson : 25 min

- Équeutez les **asperges**, coupez-les en deux.
- Râpez le zeste de l'**orange**, pelez-la et découpez-la en morceaux. Saisissez les **asperges** avec l'**huile d'olive** 10 min dans une poêle.
- Faites cuire les **spaghettis** à l'eau bouillante salée. Égouttez-les et ajoutez-les dans la poêle, avec le **parmesan**, le jus, les zestes et l'**orange**. Chauffez 5 min en remuant, salez, poivrez.

BOLOGNAISE À LA TOMATE CERISE

Spaghettis
300 g

Huile d'olive
2 cuil. à soupe

Oignons doux
x 2

Bœuf haché
400 g

Tomates cerise
250 g

Basilic
20 feuilles

Sel, poivre

Préparation : 10 min
Cuisson : 45 min

- Faites cuire les **spaghettis** (*al dente*) à l'eau bouillante salée, égouttez-les.
- Chauffez l'**huile** dans une cocotte, colorez les **oignons** émincés.
- Ajoutez les **tomates cerise** en morceaux, 50 cl d'eau et faites cuire 30 min à feu doux. Ajoutez le **bœuf haché**, les **spaghettis**, le **basilic**, laissez cuire 5 min de plus et dégustez avec du parmesan.

SPAGHETTIS CARBONARA AU CRABE

Coriandre
1 botte

Spaghettis
300 g

Œufs
x 2

Crème
25 cl

Curry
1 cuil. à soupe

Chair de crabe
2 boîtes

Sel, poivre

Préparation : 15 min
Cuisson : 15 min

• Lavez et hachez la **coriandre**. Faites cuire les **spaghettis** (*al dente*) à l'eau bouillante salée. Fouettez les jaunes d'**œufs** avec la **crème**, le **curry** et le **crabe**.

• Égouttez les **spaghettis** et versez-les dans une poêle. Ajoutez la **crème** et mélangez énergiquement pendant 2 min à feu vif pour lier l'ensemble. Ajoutez la **coriandre**, salez et poivrez.

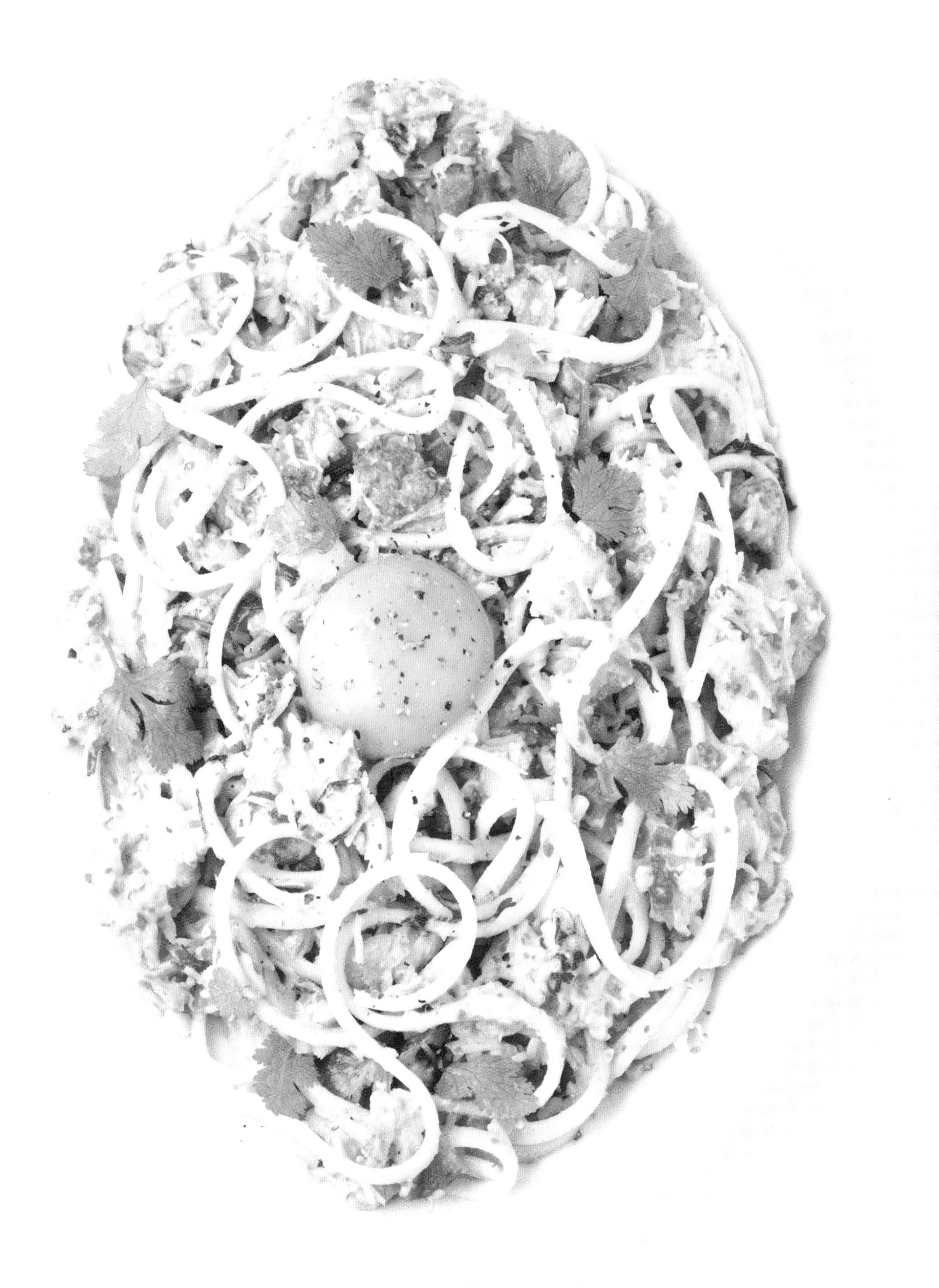

RISOTTO À LA TOMATE

Riz arborio
400 g (spécial risotto)

Bouillon de volaille
½ litre

Vin blanc sec
1 verre (15 cl)

Huile d'olive
6 cuil. à soupe

Tomates cerise
250 g

Parmesan râpé
100 g

Sel, poivre

Préparation : 5 min
Cuisson : 25 min

- Mettez le **riz**, le **bouillon**, le **vin blanc**, la moitié de l'**huile d'olive**, les **tomates** coupées en deux dans une cocotte.
- Faites cuire à feu doux en remuant avec une spatule jusqu'à l'absorption du **bouillon**.
- Le **riz** doit être encore un peu ferme.
- Ajoutez le **parmesan râpé** et le reste de l'**huile**, mélangez énergiquement pour lier l'ensemble.

RISOTTO AU SAFRAN

Riz arborio
400 g (spécial risotto)

Bouillon de volaille
½ litre

Vin blanc sec
1 verre (15 cl)

Huile d'olive
6 cuil. à soupe

Safran
15 pistils

Parmesan râpé
100 g

Sel, poivre

Préparation : 5 min
Cuisson : 25 min

• Mettez le **riz**, le **bouillon**, le **vin blanc**, la moitié de l'**huile d'olive**, les **pistils** de **safran** dans une cocotte. Faites cuire à feu doux en remuant avec une spatule jusqu'à l'absorption du **bouillon**. Le **riz** doit être encore un peu ferme.

• Ajoutez le **parmesan râpé** et le reste de l'**huile**, mélangez énergiquement pour lier l'ensemble.

RIZ FRIT AUX CREVETTES ET AU PORC

Crevettes roses cuites
x 8

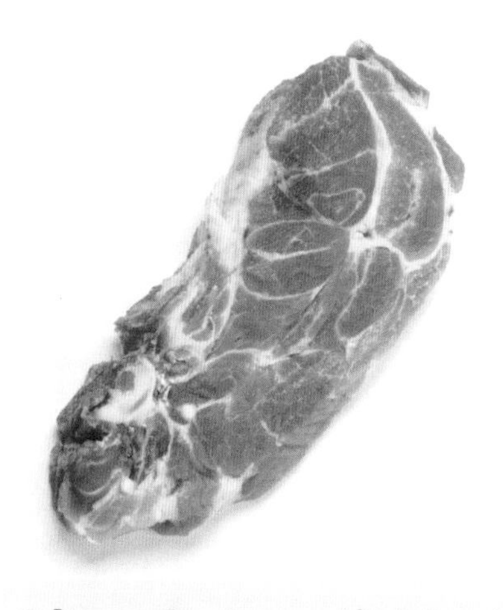

Côtes de porc (échine)
x 2

Gingembre frais
80 g

Sauce soja
8 cuil. à soupe

Curry
2 cuil. à soupe

Riz cuit
400 g

Préparation : 20 min
Cuisson : 25 min

• Décortiquez les **crevettes**. Coupez le **porc** en morceaux et saisissez-les dans un wok avec 4 cuil. à soupe d'huile.

• Ajoutez les **crevettes**, le **gingembre** épluché et râpé, le **riz**, le **curry** et la **sauce soja**. Laissez cuire à feu vif en remuant de temps en temps jusqu'à ce que le **riz** soit bien coloré et craquant. Salez légèrement, poivrez et dégustez.

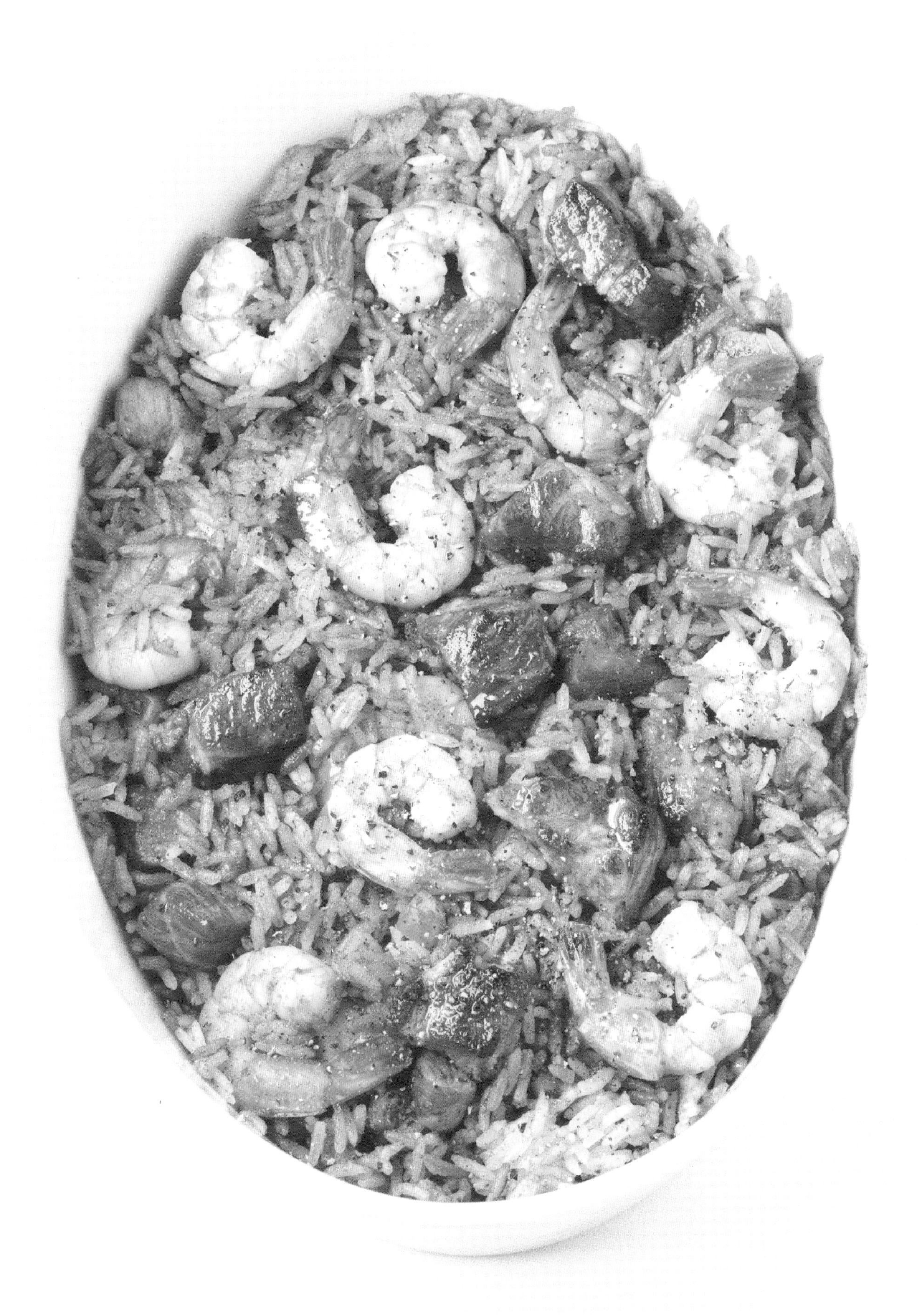

PIZZAS AUX CHAMPIGNONS DE PARIS

Pâte à pizza
2 boules (surgelées)

Crème
8 cuil. à soupe

Pousses d'épinard
200 g

Champignons de Paris
x 16 (gros)

Citrons confits
x 3

Huile d'olive
8 cuil. à soupe

Sel, poivre

Préparation : 15 min
Cuisson : 25 min

- Préchauffez le four à 220°C. Étalez les **pâtes à pizza** sur une plaque.
- Répartissez la **crème**, la moitié des **pousses d'épinard** et des **champignons** émincés et la peau des **citrons confits** en dés. Enfournez 25 min. Sortez les pizzas, ajoutez le reste des **épinards** et des **champignons** arrosez d'**huile d'olive**, salez, poivrez et dégustez.

PIZZAS PIQUANTES AU POIVRON

Pâte à pizza
2 boules (surgelées)

Poivrons rouges
x 4

Chorizo
16 grandes tranches

Menthe
4 branches

Huile d'olive
8 cuil. à soupe

Sel, poivre

Préparation : 15 min
Cuisson : 25 min

• Préchauffez le four à 220°C. Étalez les **pâtes à pizza** sur une plaque. Répartissez les **poivrons** émincés et les tranches de **chorizo**.
• Enfournez 25 min. Sortez les pizzas, ajoutez les feuilles de **menthe**, arrosez d'**huile d'olive**, salez, poivrez et dégustez.

PIZZAS TOMATES ET CERISES

Pâte à pizza
2 boules (surgelées)

Tapenade
2 cuil. à soupe

Tomates cerise
x 24

Cerises griottes
x 40 (surgelées)

Fromage de brebis
100 g (type fromage basque)

Huile d'olive
2 cuil. à soupe

Sel, poivre

Préparation : 15 min
Cuisson : 25 min

- Préchauffez le four à 220°C. Étalez les **pâtes à pizza** sur une grande plaque.
- Badigeonnez de **tapenade**, recouvrez de **tomates cerise** coupées en deux et de **cerises griottes**.
- Parsemez de **fromage basque** râpé et enfournez 25 min. Sortez les pizzas du four, salez, poivrez, arrosez d'**huile d'olive** et dégustez.

CHAUSSONS AU CHÈVRE, TOMATES ET THYM

Pâte à pizza
2 boules (surgelées)

Crottins de chavignol
x 4

Tomates
x 2 (moyennes)

Huile d'olive
4 cuil. à soupe

Thym
4 branches

Sel, poivre

Préparation : 15 min
Cuisson : 25 min
Repos : 5 min

• Préchauffez le four à 220°C. Formez 4 boules de **pâtes à pizza** et étalez-les. Placez au centre de chacune 1 **crottin** et ½ **tomate** en tranches.
• Salez, poivrez, ajoutez 2 cuil. à soupe d'**huile d'olive,** le **thym** effeuillé et refermez.
• Fixez les bords en pressant avec les doigts et enfournez-les 25 min. Sortez les chaussons, laissez reposer 5 min puis dégustez avec une salade.

PIZZAS JAMBON, PISSENLIT ET POIRE

Pâte à pizza
2 boules (surgelées)

Crème
4 cuil. à soupe

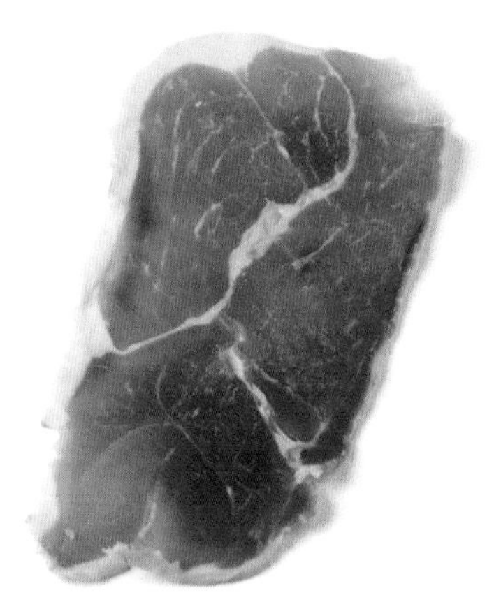

Jambon cru
8 tranches fines

Pissenlit
200 g

Poires
x 2

Huile d'olive
2 cuil. à soupe

 **Sel, poivre**

Préparation : 15 min
Cuisson : 25 min

- Préchauffez le four à 220°C. Étalez les **pâtes à pizza** sur une grande plaque. Répartissez la **crème** et le **jambon** en morceaux.
- Enfournez 25 min. Sortez les pizzas, ajoutez les feuilles de **pissenlit** et les **poires** en lamelles, arrosez d'**huile d'olive**, salez, poivrez et dégustez.

PIZZAS COURGETTES, JAMBON AU PESTO

Pâte à pizza
2 boules (surgelées)

Pesto
2 cuil. à soupe

Courgettes
x 2

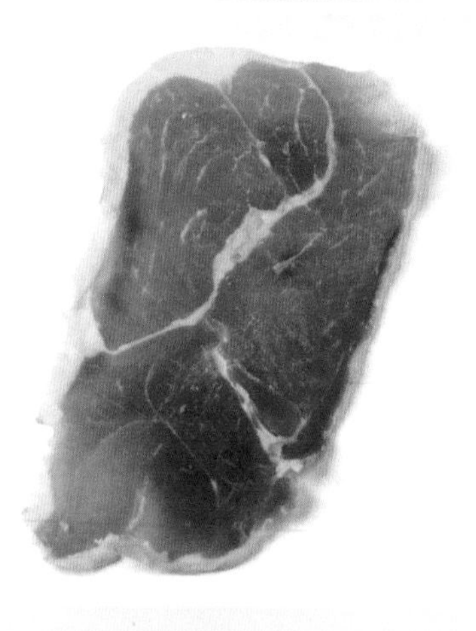

Jambon cru
8 tranches

Huile d'olive
4 cuil. à soupe

Sel, poivre

Préparation : 15 min
Cuisson : 25 min

- Préchauffez le four à 220°C. Étalez les **pâtes à pizza** sur une grande plaque.
- Badigeonnez-les de **pesto** et recouvrez-les de lamelles fines de **courgette** coupées à l'économe et de **jambon**.
- Arrosez d'**huile d'olive**, salez, poivrez et enfournez 25 min. Sortez les pizzas du four et dégustez.

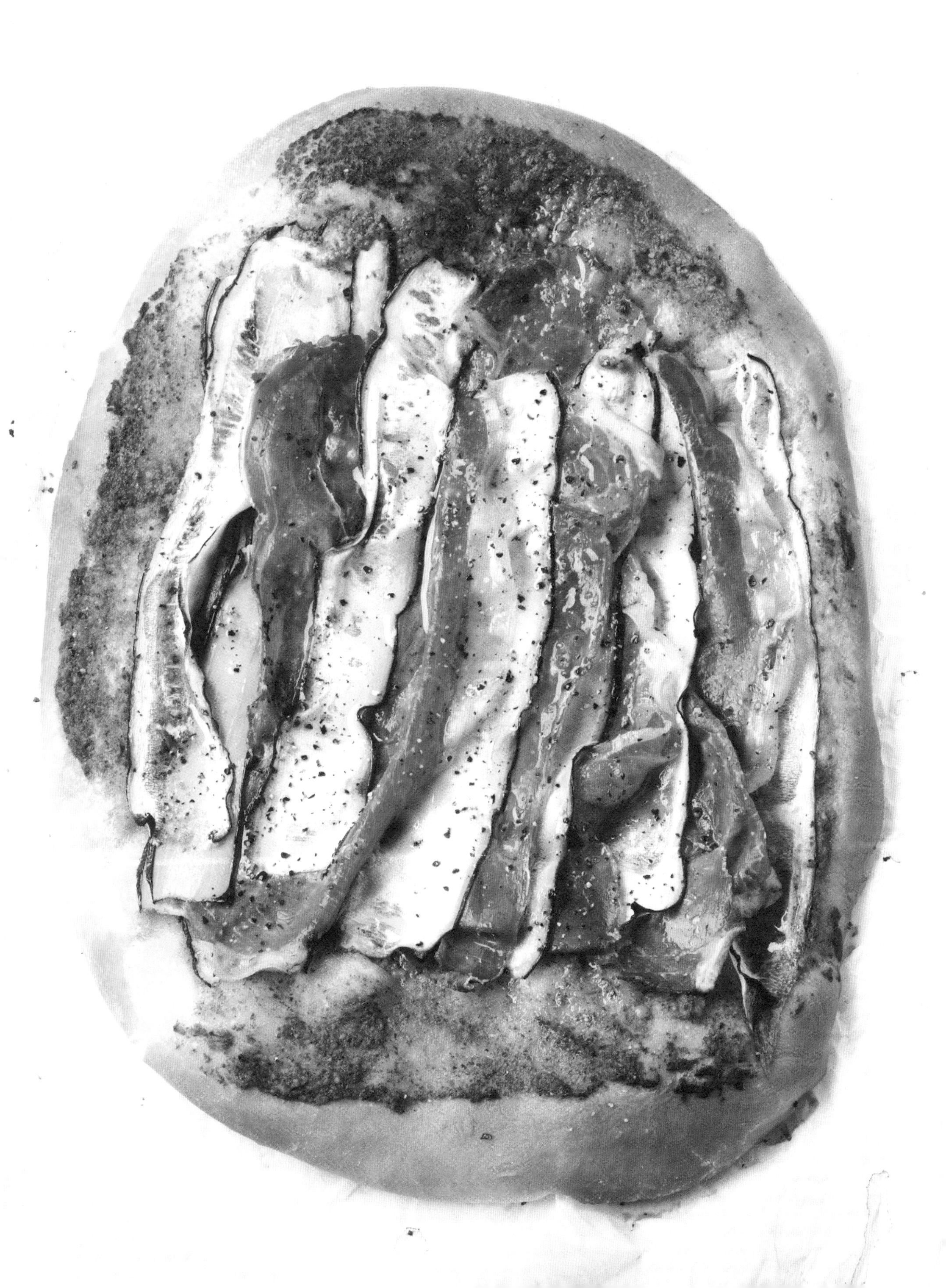

TOURTE AU CANARD ET DATTES

Dattes
x 10

Chair à saucisse
50 g

Cognac
5 cl

Bloc de foie gras cuit
100 g

Canard confit
4 cuisses

Pâte feuilletée
x 2

Sel, poivre

Préparation : 15 min
Cuisson : 40 min

• Préchauffez le four à 180°C. Coupez les **dattes** en morceaux. Mélangez-les avec la **chair à saucisse**, le **cognac**, le **foie gras** en cubes et les **cuisses de canard** désossées et hachées.
• Étalez une **pâte feuilletée**, disposez la farce au centre, recouvrez de la 2e **pâte feuilletée** et fixez-les en écrasant les bords. Enfournez 40 min. Dégustez chaud avec une salade.

TARTE POIREAUX ET PARMESAN

Poireaux
x 5 (petits)

Pâte feuilletée
x 1

Parmesan en copeaux
100 g

Crème
2 cuil. à soupe

Huile d’olive
2 cuil. à soupe

Sel, poivre

Préparation : 15 min
Cuisson : 40 min

- Préchauffez le four à 180°C. Équeutez et fendez les **poireaux** en hauteur, lavez-les à grande eau.
- Étalez la **pâte** dans un plat à tarte, posez les **poireaux** au fond, recouvrez de **parmesan**, de **crème** et d’**huile d’olive**.
- Salez, poivrez et enfournez 40 min. Dégustez la tarte chaude avec une salade verte.

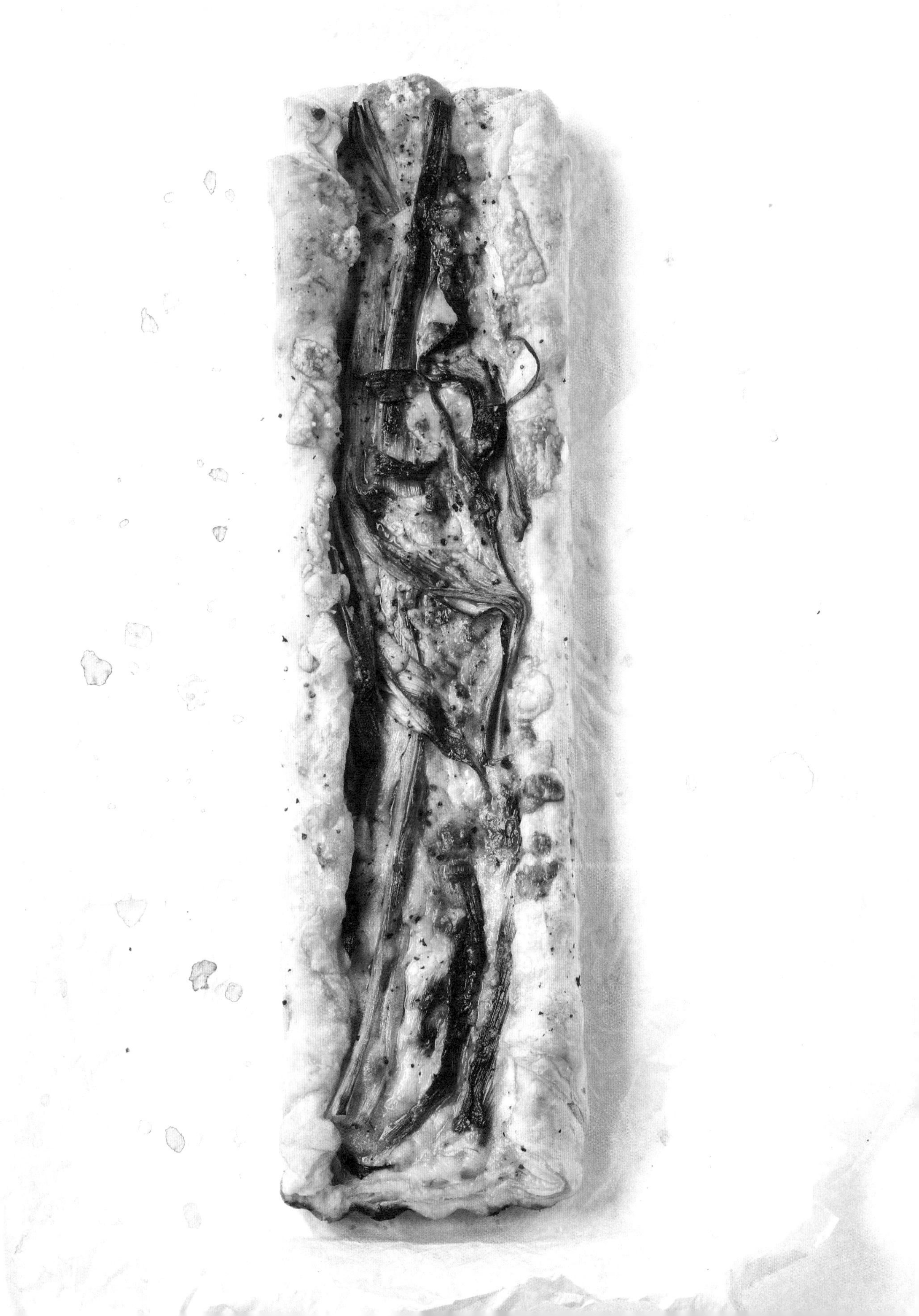

TARTELETTES TOMATES CERISE MOUTARDE

Pâte feuilletée
x 1

Moutarde de Dijon
4 cuil. à soupe

Tomates cerise
x 32

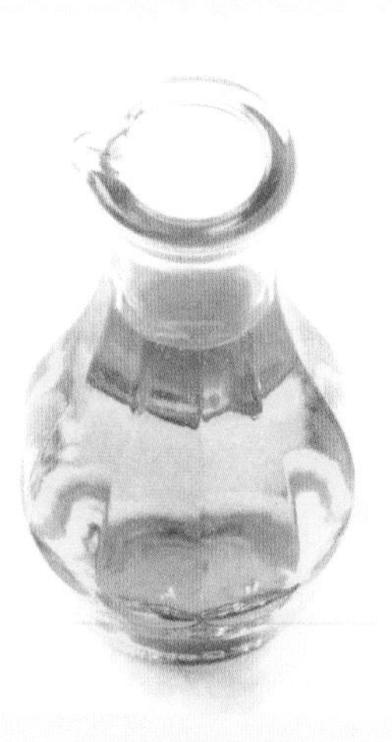

Huile d'olive
4 cuil. à soupe

Thym
4 branches

Sel, poivre

Préparation : 10 min
Cuisson : 35 min

- Préchauffez le four à 180°C. Découpez 4 cercles de **pâte** en utilisant un moule à tartelette comme emporte-pièce.
- Placez la **pâte** dans les moules, garnissez d'une cuillère de **moutarde**, de 8 **tomates cerise** coupées en deux, d'1 cuil. à soupe d'**huile d'olive**.
- Saupoudrez de **thym**, salez, poivrez et enfournez 35 min. Dégustez chaud ou froid.

TARTES FINES AU SAUMON FUMÉ ET POMMES

Sel, poivre

Préparation : 15 min
Cuisson : 25 min

- Préchauffez le four à 220°C. Étalez les **pâtes à pizza** sur une grande plaque, recouvrez de **ricotta** et enfournez-les 25 min.
- Sortez les tartes fines, recouvrez de **saumon fumé** en morceaux, de **pommes** coupées en bâtonnets et de **ciboulette** ciselée. Arrosez de jus de **citron**. Salez, poivrez et dégustez.

TARTES FINES BACON ET SAUGE

Pâte à pizza
2 boules (surgelées)

Crème
4 cuil. à soupe

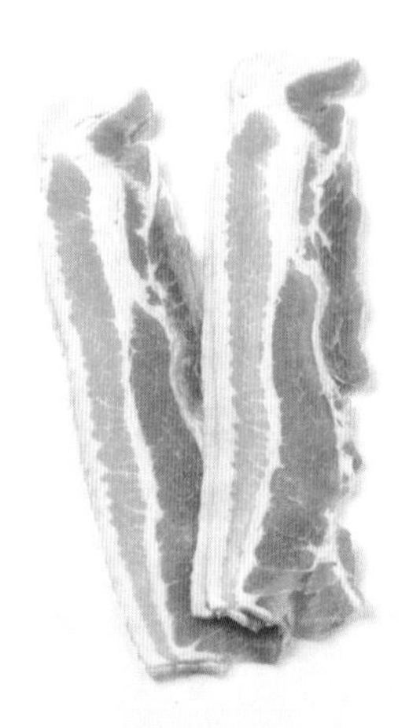

Bacon
7 tranches fines

Sauge
2 branches

Huile d'olive
4 cuil. à soupe

Sel, poivre

Préparation : 15 min
Cuisson : 25 min

• Préchauffez le four à 220°C. Étalez les **pâtes à pizza** sur une grande plaque.
• Répartissez la **crème**, les tranches de **bacon** et les feuilles de **sauge**. Enfournez 25 min.
• Sortez les tartes fines, arrosez d'**huile d'olive**, salez, poivrez et dégustez.

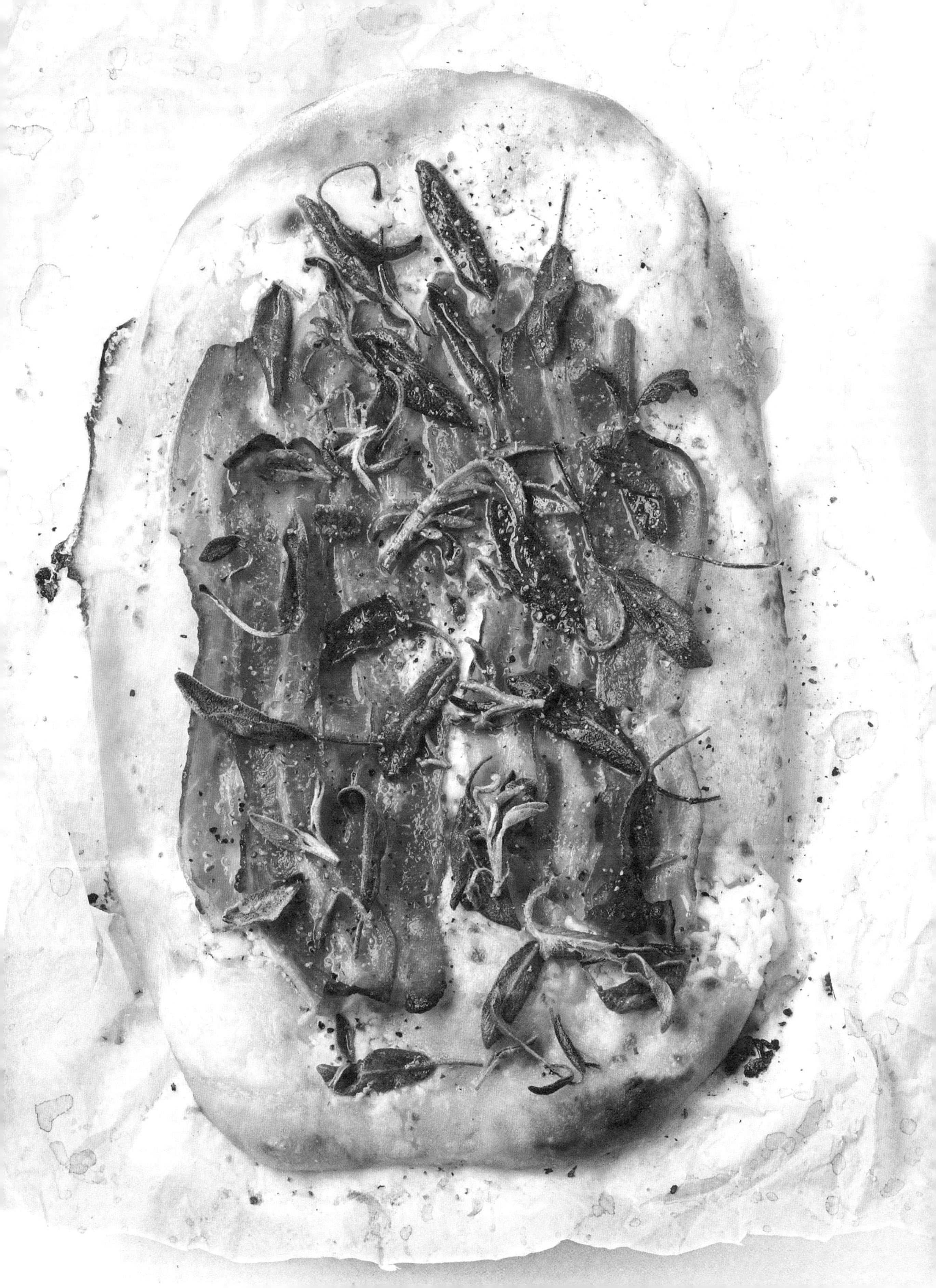

RATATOUILLE FROIDE À LA MENTHE

Oignon doux
x 1

Poivrons multicolores
x 2

Courgettes
x 2

Aubergine
x 1 (petite)

Huile d'olive
6 cuil. à soupe

Menthe
20 feuilles

 **Sel, poivre**

Préparation : 25 min
Cuisson : 45 min

• Coupez l'**oignon**, les **poivrons**, les **courgettes** et l'**aubergine** en petits dés.
• Chauffez l'**huile**, saisissez les légumes sans coloration. Salez, poivrez et faites cuire 45 min à feu doux sans coloration.
• Laissez refroidir, ajoutez la **menthe** ciselée et dégustez.

TIAN DE LÉGUMES

Pommes de terre
x 2 (grosses)

Aubergine
x 1

Courgettes
x 2

Tomates
x 3

Thym séché
1 cuil. à soupe

Huile d'olive
6 cuil. à soupe

Sel, poivre

Préparation : 15 min
Cuisson : 1 h 15

• Préchauffez le four à 180°C. Lavez et taillez tous les légumes en lamelles fines.

• Superposez-les dans un plat à gratin, en les assaisonnant de sel, de poivre, de **thym** séché et d'**huile d'olive**.

• Enfournez 1 h 15 et servez dans le plat.

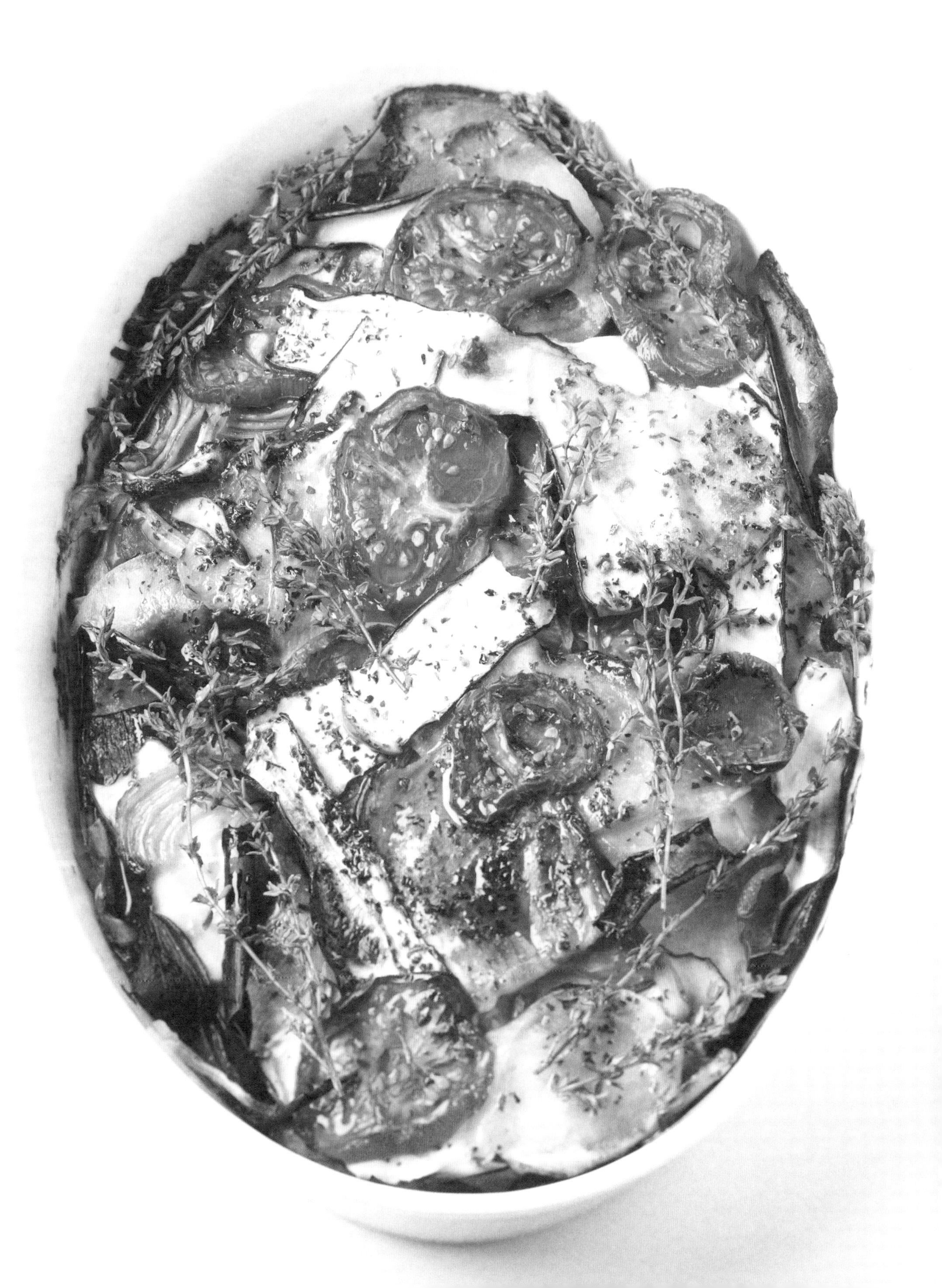

GRATIN D'AUBERGINES

Aubergines
x 2

Mozzarella
2 boules (250 g)

Tomates concassées
300 g

Parmesan râpé
100 g

Huile d'olive
2 cuil. à soupe

Sel, poivre

Préparation : 25 min
Cuisson : 1 h

- Préchauffez le four à 180°C. Lavez et taillez les **aubergines** en tranches dans la hauteur. Coupez la **mozzarella** en rondelles.
- Alternez les couches de **tomates**, de **mozzarella** et d'**aubergines** dans un plat à gratin, salez, poivrez, saupoudrez de **parmesan râpé** et arrosez d'**huile d'olive**.
- Enfournez 1 h et dégustez avec une salade.

GRATIN DE BLETTES AU FROMAGE

Blettes
1kg

Crème
60cl

Fromage râpé
200g

 **Sel, poivre**

Préparation : 15 min
Cuisson : 30 min

• Lavez et coupez les **blettes** en morceaux, plongez-les 5 min dans l'eau bouillante salée. Égouttez, laissez refroidir et mélangez-les avec la **crème** et le **fromage**.

• Préchauffez le four à 180°C. Salez, poivrez, mettez le tout dans un plat et enfournez 30 min.

• Lorsque le gratin est bien doré, servez dans le plat et dégustez avec une salade.

BEIGNETS DE COURGETTES EN SALADE

Roquette
2 poignées (80 g)

Courgettes
x 2

Œufs
x 2 (séparés)

Farine
100 g

Bière
10 cl

Menthe
10 feuilles

Sel, poivre
+ 1 bain de friture

Préparation : 15 min
Cuisson : 5 min

• Lavez la **roquette**. Taillez les **courgettes** en rondelles.

• Fouettez les blancs d'**œufs** en neige. Mélangez la **farine**, la **bière** et les jaunes **d'œufs**. Ajoutez les blancs d'**œufs**. Chauffez l'**huile**.

• Plongez les **courgettes** dans la pâte et faites-les frire. Dégustez les beignets chauds avec la **roquette** et la **menthe** ciselée.

GRATIN DE COURGETTES

Courgettes
650 g

Fromage râpé
200 g

 **Sel, poivre**

Préparation : 5 min
Cuisson : 30 min

- Préchauffez le four à 180°C. Lavez et râpez les **courgettes** avec un robot.
- Mélangez dans un plat avec le **fromage râpé**, salez, poivrez et faites gratiner 30 min.

NAVETS CARAMÉLISÉS AU MIEL

Navets nouveaux
2 bottes

Miel liquide
12 cuil. à soupe

Sel, poivre

Préparation : 15 min
Cuisson : 40 min

• Épluchez et équeutez les **navets**. Faites-les cuire 30 min dans une casserole d'eau bouillante salée (ils doivent être fondants).

• Chauffez le **miel** dans une grande poêle, ajoutez les **navets** et faites-les caraméliser à feu vif 6 à 8 min en remuant régulièrement.

• Salez, poivrez et servez en garniture d'un canard ou d'un foie gras poêlé.

FRITES À LA PEAU AU FOUR, SEL AU ROMARIN

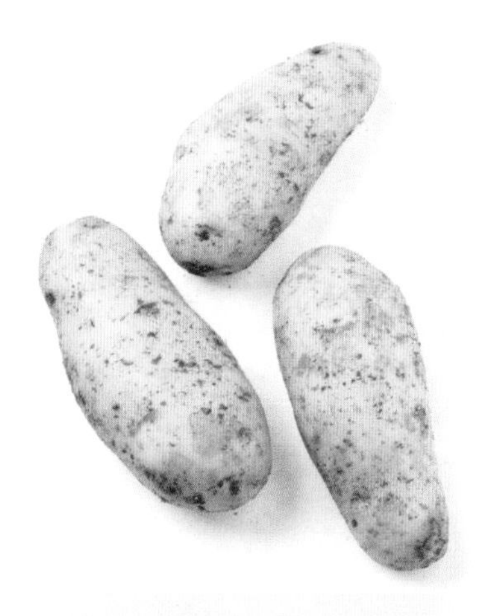

Pommes de terre
1 kg (à chair ferme)

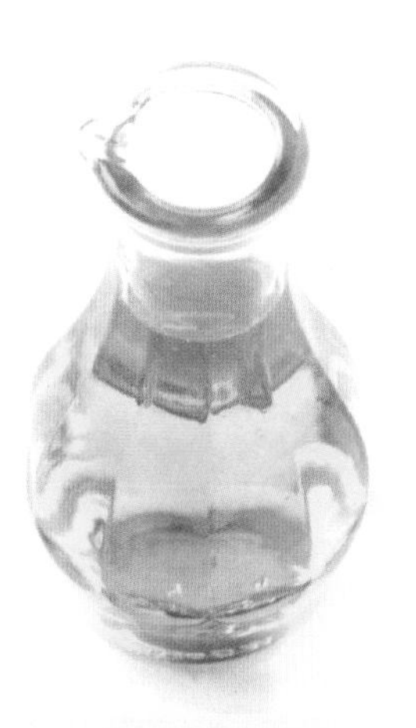

Huile d'olive
6 cuil. à soupe

Romarin
2 branches

Fleur de sel
1,5 cuil. à soupe

Préparation : 10 min
Cuisson : 30 min

- Préchauffez le four à 180°C. Lavez les **pommes de terre** puis découpez-les en frites.
- Disposez-les sur une plaque, arrosez d'**huile d'olive** et enfournez 30 min en les retournant pour bien les dorer.
- Hachez le **romarin**, mélangez-le avec la **fleur de sel**, assaisonnez les frites et dégustez avec du ketchup.

FRITES DE PATATES DOUCES

Avocats
x 2

Citrons
x 2

Patates douces
1 kg

Fleur de sel
4 cuil. à café

Curry
4 cuil. à café

Poivre
+ 1 bain de friture

Préparation : 15 min
Cuisson : 5 min

• Épluchez les **avocats**, retirez-en les noyaux et mixez-en la chair avec le jus des **citrons**, salez, poivrez et réservez au frais.

• Épluchez les **patates** et découpez-les en bâtonnets réguliers. Faites frire les **patates douces** 5 min dans un bain de friture, égouttez-les lorsqu'elles sont bien dorées. Assaisonnez-les avec le **sel** et le **curry** et mélangez.

GRATIN DAUPHINOIS

Ail
2 gousses

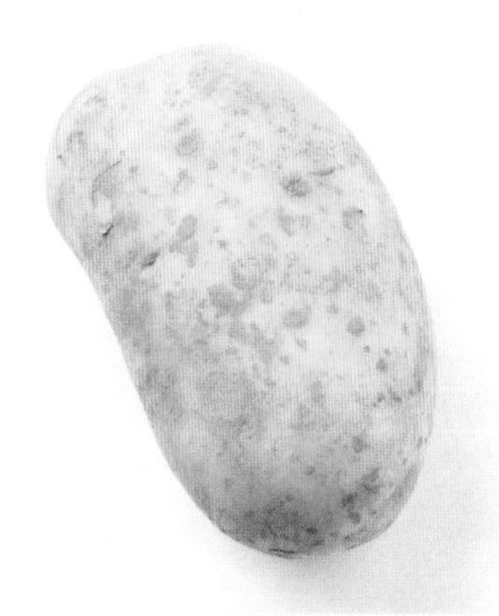

Pommes de terre
1 kg

Crème
40 cl

Muscade râpée
½ cuil. à café

Sel, poivre

Préparation : 15 min
Cuisson : 1 h

- Préchauffez le four à 170°C. Épluchez et émincez les **gousses d'ail**. Épluchez les **pommes de terre** et taillez-les en fines lamelles
- Disposez-les avec l'**ail** et la **crème** dans un plat à gratin, salez, poivrez et ajoutez la **muscade** entre les couches, en finissant par de la **crème**.
- Enfournez 1 h. Dégustez bien chaud.

TARTIFLETTE AU GOUDA AU CUMIN

Oignon doux
x 1

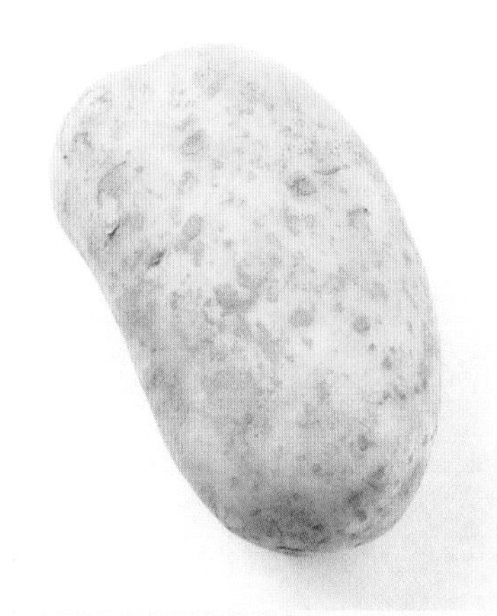

Pommes de terre
x 4 (grosses)

Lardons
200 g

Gouda au cumin
400 g

Cumin
1 cuil. à café

Sel, poivre

Préparation : 10 min
Cuisson : 1h

• Préchauffez le four à 170°C. Épluchez et émincez l'**oignon**. Épluchez et taillez les **pommes de terre** en fines lamelles.

• Disposez les **pommes de terre**, les **lardons** et l'**oignon** dans un plat à gratin.

• Recouvrez de **gouda** et de **cumin**, enfournez 1 h et servez.

POIVRONS FARCIS RICOTTA ET OLIVES

Ricotta
2 pots (250 g chacun)

Thym en poudre
1 cuil. à café

Tapenade
2 cuil. à soupe

Poivrons verts
x 2 (gros)

Coulis de tomates
50 cl

Sel, poivre

Préparation : 10 min
Cuisson : 40 min

• Préchauffez le four à 180°C. Mélangez la **ricotta**, le **thym** et la **tapenade**.
• Coupez les **poivrons** en deux, videz-les et garnissez-les du mélange **ricotta-tapenade**.
• Fouettez le **coulis** avec 25 cl l'eau dans un plat, posez les **poivrons** dessus, salez, poivrez et enfournez 40 min. Dégustez chaud ou froid.

POIVRONS AU FOUR EN PERSILLADE

Poivrons multicolores
x 8

Persil plat
8 brins

Ail
6 gousses

Huile d'olive
6 cuil. à soupe

 **Sel, poivre**

Préparation : 20 min
Cuisson : 35 min

• Enfournez les **poivrons** 35 min à 180°C. Lavez et hachez le **persil**. Épluchez et pressez l'**ail**.

• Sortez les **poivrons** du four, retirez la peau et les pépins, versez le jus de cuisson dans un saladier, ajoutez les **poivrons** en morceaux, l'**huile**, l'**ail** et le **persil**, salez, poivrez, et mélangez.

POTIRON GRATINÉ À LA FOURME D'AMBERT

Fourme d'Ambert
200 g

Potiron
800 g

Crème
2 cuil. à soupe

Huile de noix
1 cuil. à soupe

 **Sel, poivre**

Préparation : 10 min
Cuisson : 45 min

- Coupez la **fourme d'Ambert** en morceaux.
- Épluchez et taillez le **potiron** en tranches.
- Garnissez un plat à gratin en intercalant le **potiron** et la **fourme d'Ambert**.
- Ajoutez la **crème**, l'**huile de noix**, salez, poivrez et enfournez 45 minutes à 170°C.
- Dégustez bien chaud.

BROCHETTES MOZZARELLA ET FIGUES

Roquette
2 poignées (80 g)

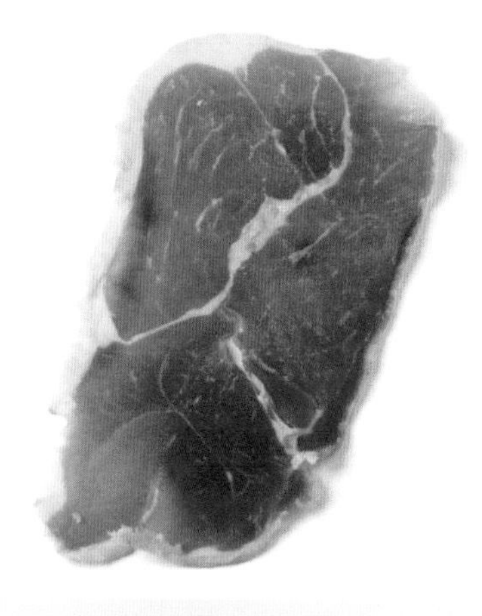

Jambon cru
4 tranches

Mozzarella
1 boule (125 g)

Figues
x 4

Huile d'olive
4 cuil. à soupe

Sel, poivre

Préparation : 10 min
Cuisson : 5 min

• Préchauffez le four à 180°C. Lavez la **roquette**. Découpez le **jambon** en quatre, la **mozzarella** en huit et les **figues** en trois.

• Montez 4 brochettes en alternant les 3 ingrédients. Posez-les dans un plat puis enfournez-les 5 min.

• Dressez dans un plat avec la **roquette**, arrosez d'**huile d'olive**, salez et poivrez.

GROSSES TOMATES CUITES AUX ŒUFS

Tomates
x 4 (grosses)

Huile d'olive
4 cuil. à soupe

Œufs
x 4

Vinaigre balsamique
2 cuil. à soupe

 **Sel, poivre**

Préparation : 5 min
Cuisson : 15 min

- Préchauffez le four à 170°C. Coupez le chapeau des **tomates** et videz-les.
- Placez-les dans un grand plat à four, arrosez-les d'**huile d'olive** et enfournez-les 5 min.
- Cassez un **œuf** dans chaque **tomate**, salez, poivrez et enfournez 10 min de plus.
- Arrosez-les d'un filet de **vinaigre** et servez.

POIREAUX GRATINÉS AU REBLOCHON

Poireaux
400 g

Reblochon
250 g

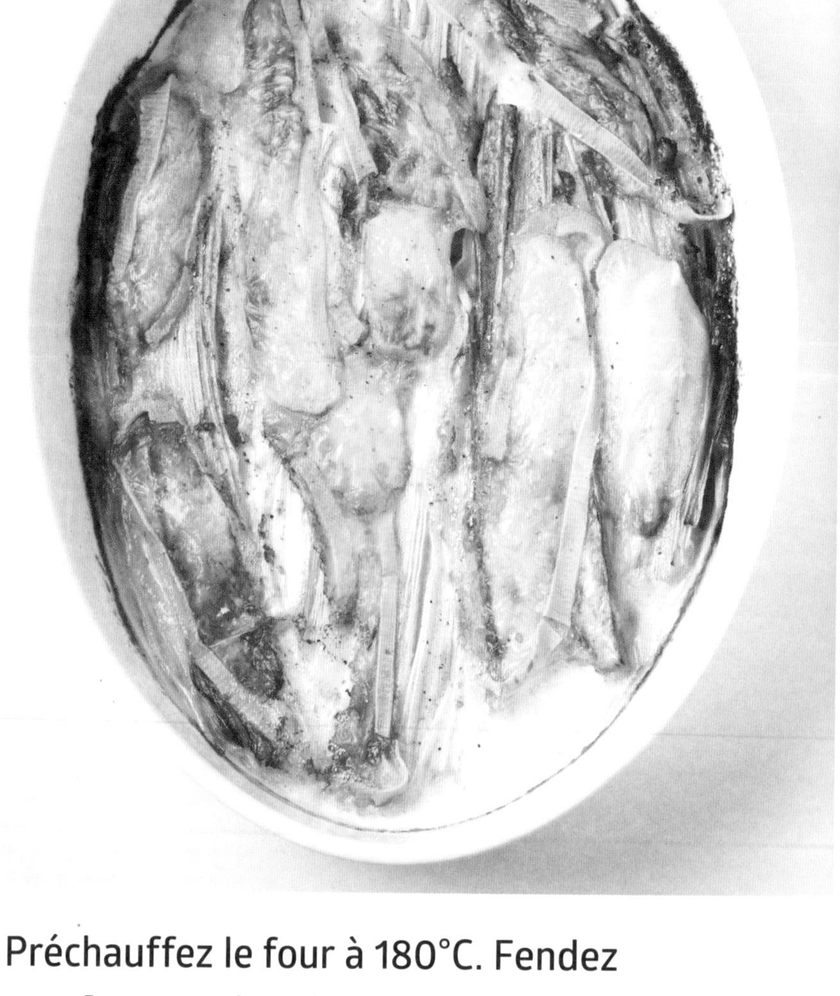

Sel, poivre

Préparation : 10 min
Cuisson : 45 min

• Préchauffez le four à 180°C. Fendez les **poireaux** dans la longueur, lavez-les à grande eau, séchez-les et placez-les dans un plat à four.

• Découpez le **reblochon** en tranches, déposez-les sur les **poireaux** et enfournez 45 min.

• Lorsque les **poireaux** sont bien gratinés, sortez le plat et dégustez accompagné d'une salade.

POIRES GRATINÉES AU PARMESAN

Poires
x 4

Parmesan
100 g

Sel, poivre

Préparation : 5 min
Cuisson : 30 min

- Préchauffez le four à 180°C. Épluchez et découpez les **poires** en quartiers. Hachez grossièrement le **parmesan**.
- Disposez les **poires** dans un plat à four, recouvrez de **parmesan**, salez légèrement, poivrez et faites gratiner 30 min.
- Dégustez en entrée avec une salade ou en garniture d'une volaille ou d'un rôti de veau.

NAVARIN D'AGNEAU AUX LÉGUMES

Sauté d'agneau
1,2 kg (épaule ou gigot)

Huile d'olive
4 cuil. à soupe

Thym
2 branches

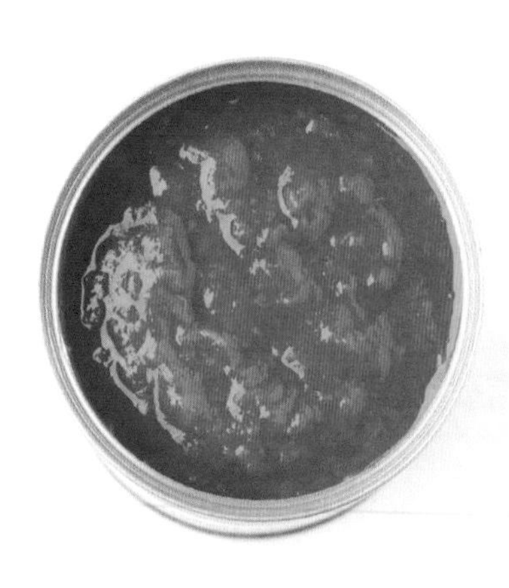

Tomates concassées
1 boîte (800 g)

Petits pois
200 g (frais ou surgelés)

Pois gourmands
200 g

Sel, poivre

Préparation : 5 min
Cuisson : 1 h 25

- Saisissez les morceaux de **viande** dans une cocotte avec l'**huile**.
- Ajoutez le **thym** et les **tomates**, salez, poivrez, baissez le feu et laissez mijoter 1 h à feu doux à couvert. Ajoutez les **petits pois** et les **pois gourmands**. Laissez cuire 20 min de plus.

AGNEAU AUX POMMES DE TERRE

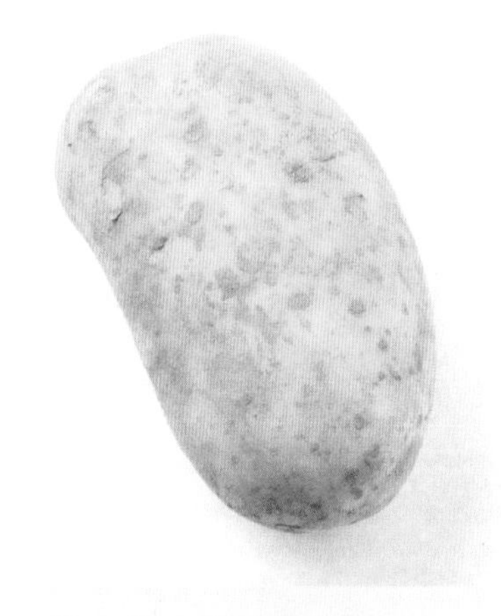

Pommes de terre
x 2 (grosses)

Oignons doux
x 2

Tomates
x 3

Épigrammes
x 2 (600 g)

Thym
2 cuil. à café

Vin blanc
1 verre (15 cl)

Sel, poivre

Préparation : 10 min
Cuisson : 2 h

• Préchauffez le four à 170°C. Épluchez et coupez les **pommes de terre** et les **oignons** en tranches fines. Taillez les **tomates** en rondelles et les **épigrammes** en quatre.

• Mélangez tous les ingrédients dans un grand plat à four, salez, poivrez, ajoutez le **vin blanc** et 30 cl d'eau puis enfournez 2 h. Posez le plat sur la table et dégustez avec une salade.

BROCHETTES D'AGNEAU À LA MANGUE

Menthe
30 feuilles (petites)

Mangues
x 2

Agneau
800 g

Huile d'olive
4 cuil. à soupe

Vinaigre balsamique
4 cuil. à soupe

Sel, poivre

Préparation : 10 min
Cuisson : 20 min

• Préchauffez le four à 180 °C. Lavez la **menthe**. Épluchez les **mangues** et taillez-les avec l'**agneau** en petits morceaux. Montez 4 brochettes en alternant **agneau** et **mangue**.
• Saisissez les brochettes 20 min sous le gril du four.
• Dressez-les dans un plat, arrosez d'**huile d'olive** et de **vinaigre**, parsemez de **menthe**, salez, poivrez et dégustez.

ÉPAULE D'AGNEAU CONFITE AU FOUR

Épaule d'agneau
x 1 (avec os)

Persil plat
6 brins

Coriandre
1 botte

Ail
6 gousses

Piment vert
x 1 (petit)

Huile d'olive
15 cl

Sel, poivre

Préparation : 15 min
Cuisson : 2 h

- Préchauffez le four à 160°C. Posez l'**épaule** dans un grand plat, salez, poivrez et enfournez 2 h en arrosant de temps en temps.
- Lavez puis effeuillez le **persil** et la **coriandre**.
- Épluchez les gousses d'**ail**, retirez les graines du **piment** et mixez l'ensemble avec l'**huile**. Dégustez l'**épaule d'agneau** avec la sauce accompagnée d'une salade de roquette.

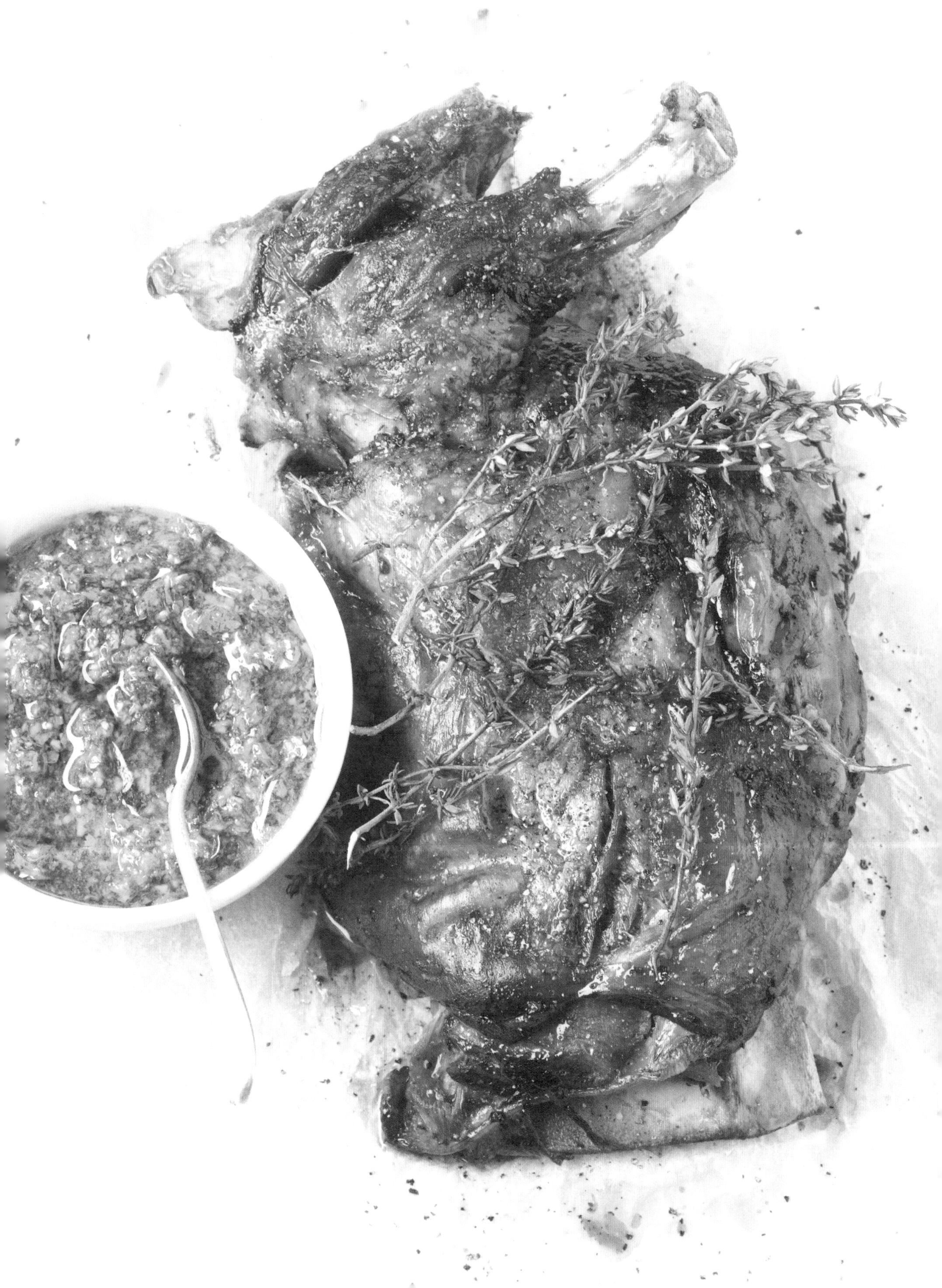

GIGOT DE 7 HEURES

Gigot d'agneau
x 1

Ail
10 gousses

Vin liquoreux
½ bouteille (37,5 cl)

Bouillon
80 cl

Romarin
2 branches

Porto rouge
½ bouteille (37,5 cl)

Sel, poivre

Préparation : 10 min
Cuisson : 7 h

• Placez le **gigot** dans une grande cocotte en fonte, ajoutez les gousses d'**ail** écrasées, le **vin**, le **porto**, le **bouillon** et le **romarin**.
• Couvrez et enfournez 7 h à 160°C en arrosant de temps en temps. Ajoutez de l'eau si la sauce réduit trop. Salez et poivrez. Servez le **gigot** à la cuillère accompagné de semoule.

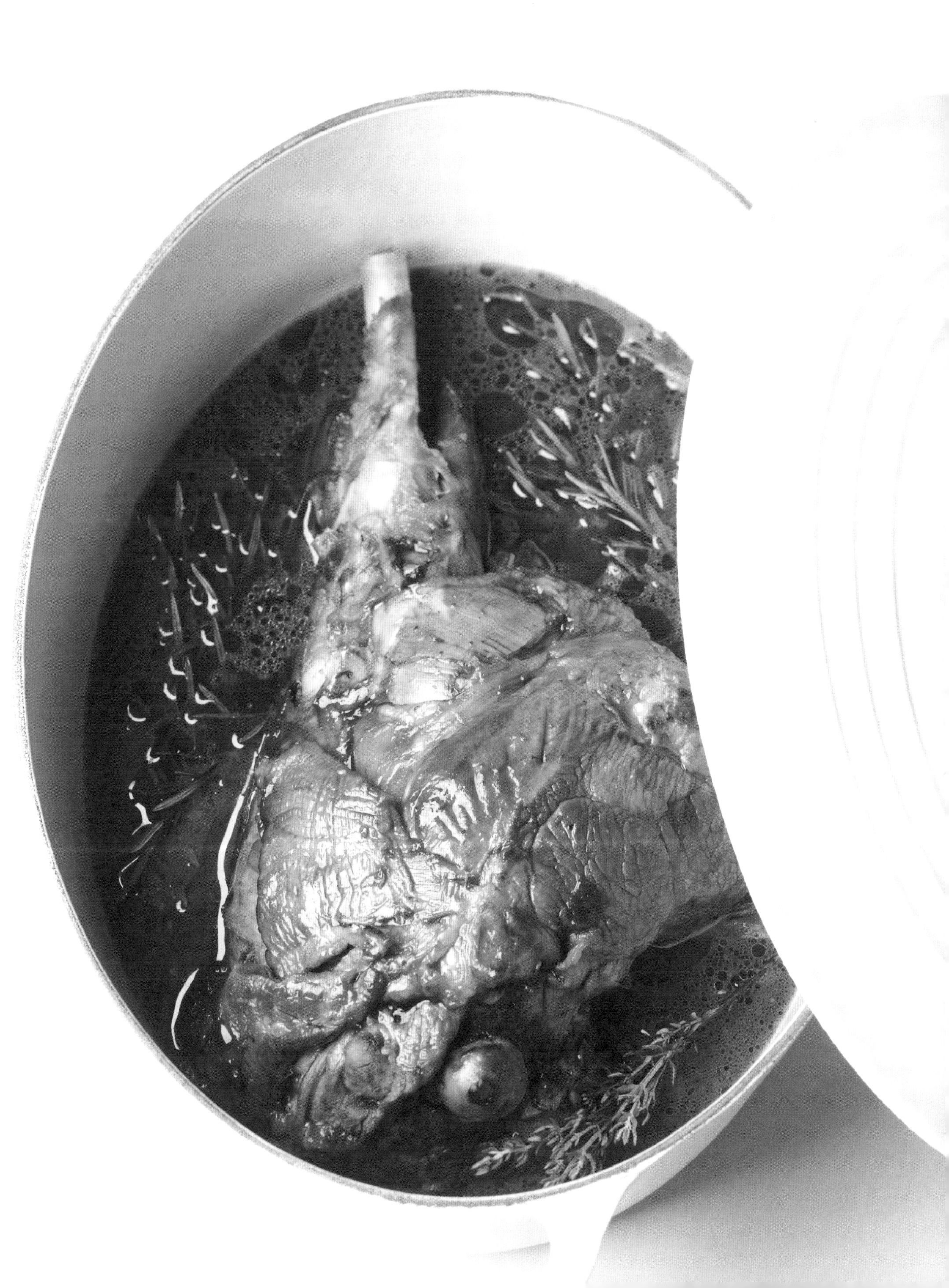

BLANQUETTE AUX ASPERGES

Sauté de veau
1,2 kg (en morceaux)

Bouillon de volaille
50 cl

Asperges vertes
x 4 (grosses)

Champignons de Paris
200 g

Crème
33 cl

Farine
2 cuil. à soupe

Sel, poivre

Préparation : 15 min
Cuisson : 1 h 15

- Mettez à cuire le **veau**, 1 h dans le **bouillon** à feu doux. Épluchez et coupez les **asperges** en morceaux, émincez les **champignons**. Égouttez la viande. Mélangez la **crème** avec la **farine** et fouettez dans le **bouillon** chaud.
- Ajoutez les **asperges** et les **champignons** et faites cuire 10 min de plus en remuant. Remettez la viande dans la sauce, salez, et poivrez.

ROGNONS À LA MOUTARDE

Rognons de veau
x 4

Moutarde en grains
4 cuil. à soupe

Moutarde de Dijon
4 cuil. à soupe

Bouquet garni
x 1

Crème
60 cl

 **Sel, poivre**

Préparation : 5 min
Cuisson : 10 min

- Colorez les **rognons** en morceaux dans une poêle avec 2 cuil. à soupe d'huile.
- Laissez cuire 5 min puis ajoutez les **moutardes**, le **bouquet garni** et la **crème** en remuant.
- Salez, poivrez, faites cuire 5 min de plus puis dégustez avec des pâtes fraîches.

CÔTES DE VEAU AUX MORILLES

Morilles séchées
50 g

Crème
33 cl

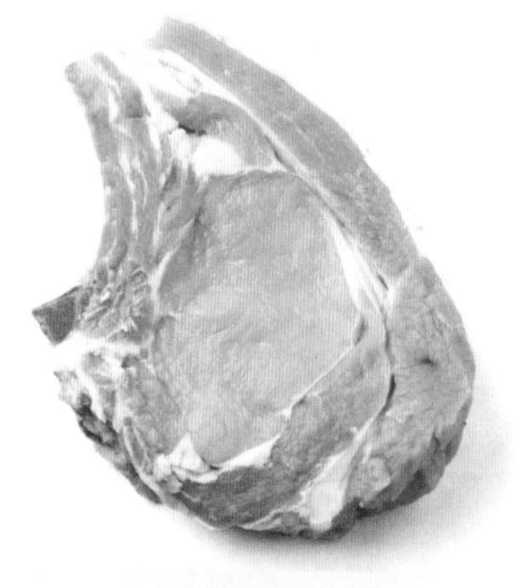

Côtes de veau
x 2 (450 g chacune)

Sauce soja
4 cuil. à soupe

 **Sel, poivre**

Préparation : 35 min
Cuisson : 25 min
Trempage : 30 min

• Mettez les **morilles** à tremper 30 min dans 50 cl d'eau. Égouttez-les, filtrez l'eau et réduisez-la au ¾ dans une casserole. Ajoutez la **crème** et faites réduire 10 min à feu vif en fouettant.

• Saisissez et faites cuire les **côtes de veau** 5 min de chaque côté dans une sauteuse.

• Déglacez avec la **sauce soja**, ajoutez les **morilles** et la **crème**, faites cuire 5 min et servez.

ESCALOPES ROULÉES AUX ASPERGES

Asperges vertes
x 16

Escalopes de veau
x 4

Pesto
2 cuil. à soupe

Huile d'olive
2 cuil. à soupe

 **Sel, poivre**

Préparation : 10 min
Cuisson : 30 min

• Préchauffez le four à 180°C. Épluchez et équeutez les **asperges**.
• Badigeonnez les **escalopes** de **pesto**, posez les **asperges** au centre, salez, poivrez, roulez et ficelez-les.
• Salez, poivrez, arrosez d'**huile d'olive** et enfournez 30 min. Dégustez en tranches épaisses.

ESCALOPES AU CHORIZO

Escalopes de veau
x 4

Chorizo
8 tranches (grandes)

Thym
8 branches

Sauge
4 feuilles

Huile d'olive
3 cuil. à soupe

Sel, poivre

Préparation : 10 min
Cuisson : 25 min

• Préchauffez le four à 180°C. Coupez les **escalopes** en deux, placez sur chaque morceau une tranche de **chorizo** (vous pouvez les fixer avec une pique en bois).

• Ajoutez le **thym**, la **sauge** et 3 cuil. à soupe d'**huile d'olive**, salez, poivrez et enfournez 25 min. Servez accompagné d'une salade de roquette ou des pâtes fraîches.

OSSO-BUCCO AUX TOMATES ET ORANGES

Oranges
x 4

Huile d'olive
4 cuil. à soupe

Osso bucco
x 8

Romarin
2 branches

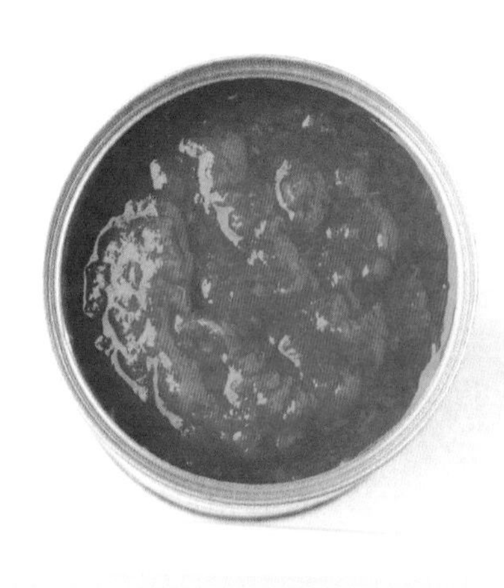

Tomates concassées
1 boîte (800 g)

Sel, poivre

Préparation : 15 min
Cuisson : 1 h 30

• Râpez le zeste des **oranges**, pressez leur jus. Chauffez l'**huile** dans une cocotte, colorez les **osso-bucco** des deux côtés, ajoutez le jus des **oranges**, les zestes, le **romarin** et les **tomates concassées**.

• Salez, poivrez et laissez mijoter 1 h 30 à feu très doux. Servez directement dans la cocotte et dégustez avec des pâtes fraîches.

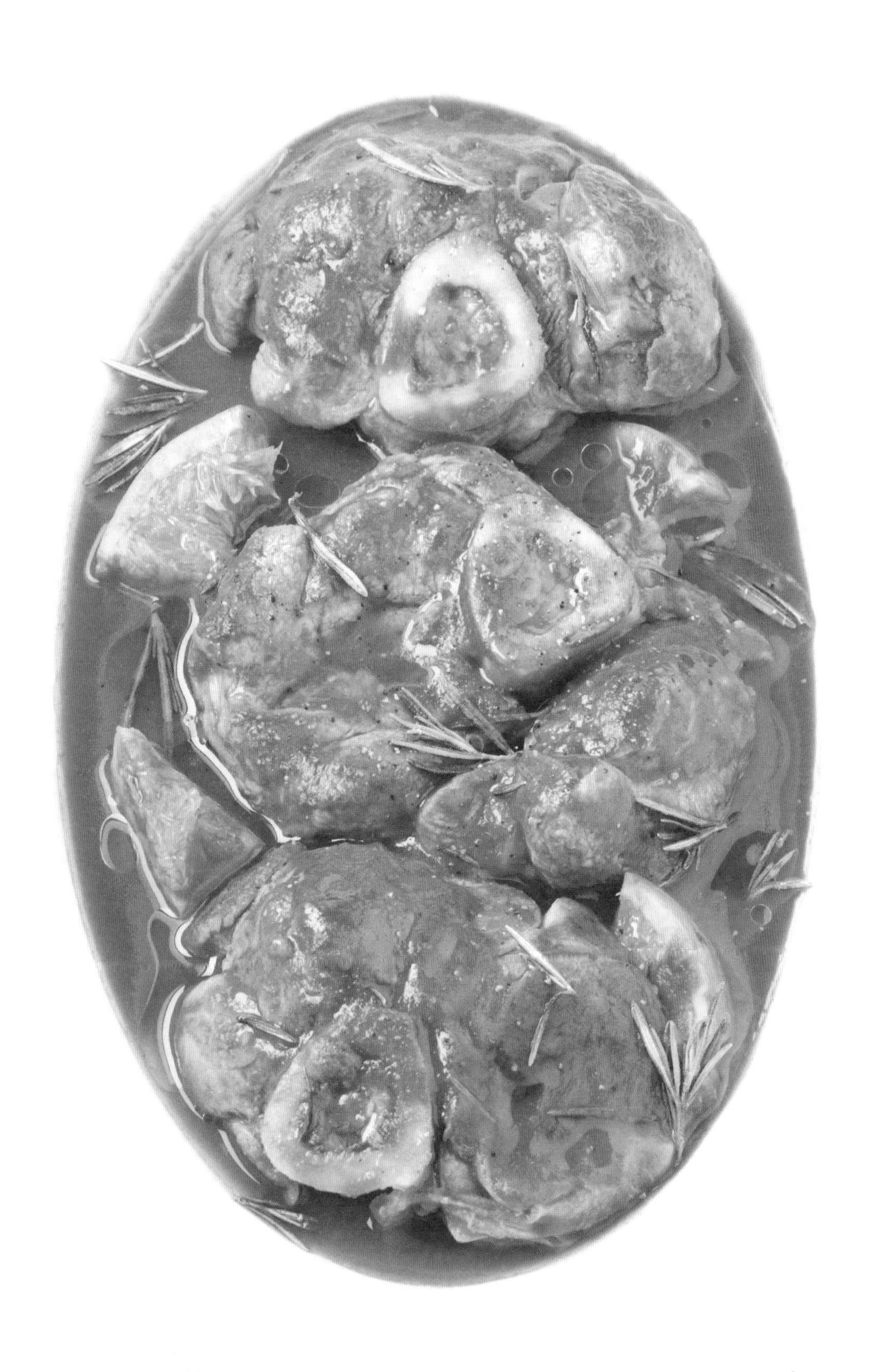

RÔTI DE VEAU AUX ASPERGES

Asperges vertes
x 20

Estragon
1 botte

Huile d'olive
4 cuil. à soupe

Rôti de veau
(900 g à 1 kg)

Ail
4 gousses

  **Sel, poivre**

Préparation : 15 min
Cuisson : 35 min

• Épluchez les **asperges**, lavez, effeuillez et hachez grossièrement l'**estragon**.
• Chauffez l'**huile d'olive** dans une cocotte, colorez le **rôti** avec l'**ail**, salez, poivrez et faites cuire 25 min à couvert.
• Versez 1 verre d'eau, ajoutez les **asperges**, laissez cuire 10 min de plus puis ajoutez l'**estragon**. Mélangez et servez le rôti en tranches.

SAUTÉ DE VEAU AUX OLIVES

Huile d'olive
4 cuil. à soupe

Sauté de veau
1 kg (en morceaux)

Vin blanc sec
½ bouteille (37,5 cl)

Bouquet garni
x 1

Coulis de tomates
50 cl

Olives vertes et noires
200 g (dénoyautées)

Sel, poivre

Préparation : 15 min
Cuisson : 2 h

• Chauffez l'**huile** dans une cocotte. Colorez les morceaux de **veau**, ajoutez le **vin blanc**, le **bouquet garni**, le **coulis de tomates** et les **olives**.

• Laissez mijoter 2 h à feu doux en remuant de temps en temps.

• Ajoutez un peu d'eau si la sauce réduit trop. Dégustez accompagné de pâtes fraîches.

BAVETTES À L'ÉCHALOTE CROUSTILLANTE

Échalotes
x 4 (longues)

Lait
2 cl

Farine
1 cuil. à soupe

Persil plat
8 brins

Bavettes
x 4 (180 g chacune)

Sel, poivre
+ 1 bain de friture

Préparation : 15 min
Cuisson : 10 min

- Épluchez puis émincez les **échalotes**. Chauffez l'**huile** dans une casserole.
- Trempez les **échalotes** dans le **lait** puis dans la **farine** et faites-les frire jusqu'à ce qu'elles soient dorées. Lavez et hachez le **persil**.
- Saisissez les **bavettes** avec 1 cuil. d'huile 2 min de chaque côté, dressez-les, couvrez d'**échalotes** et de **persil** puis dégustez avec une salade.

BŒUF BOURGUIGNON

Sauté de bœuf
1,2 kg (en cubes)

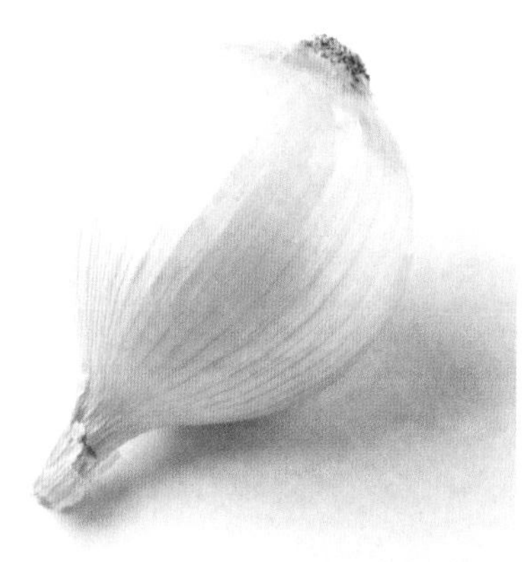

Oignon doux
x 1 (gros)

Farine
1 cuil. à soupe

Vin rouge
1 bouteille (75 cl)

Lardons
200 g

Champignons de Paris
250 g

Sel, poivre

Préparation : 10 min
Cuisson : 2 h 35

• Chauffez de l'huile dans une cocotte en fonte. Colorez le **bœuf** sur toutes les faces, ajoutez l'**oignon** émincé et la **farine**.

• Faites cuire 5 min, puis versez le **vin rouge** et 30 cl d'eau. Laissez mijoter 2 h à couvert et à feu très doux. Ajoutez les **lardons** et les **champignons** lavés et coupés. Faites cuire 30 min de plus, salez et poivrez.

BŒUF AUX CAROTTES

Carottes
1 kg

Oignons doux
x 2

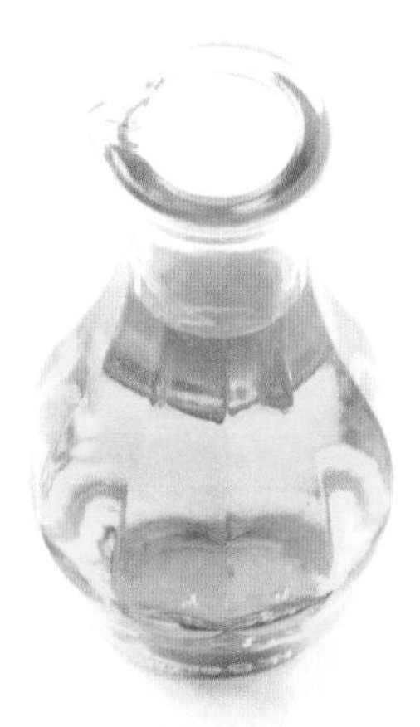

Huile d'olive
3 cuil. à soupe

Paleron
1,2 kg

Thym
4 branches

Laurier
3 feuilles

Sel, poivre

Préparation : 10 min
Cuisson : 2 h

• Épluchez et taillez les **carottes** en rondelles épaisses. Épluchez et émincez les **oignons**.
• Chauffez l'**huile** dans une cocotte, colorez le **bœuf** dans l'huile fumante, ajoutez les **oignons**, les **carottes**, le **thym** et le **laurier**.
• Salez, poivrez, mouillez avec de l'eau à hauteur et laissez mijoter 2 h à couvert, à feu très doux.

BOULETTES DE BŒUF ASSAISONNÉES

Basilic
20 feuilles

Oignon doux
x 1

Bœuf haché
700 g

Ketchup
4 cuil. à soupe

Huile d'olive
4 cuil. à soupe

Gaspacho
30 cl

Sel, poivre

Préparation : 20 min
Cuisson : 5 min

• Préchauffez le four à 180°C. Lavez et hachez le **basilic**. Épluchez et émincez l'**oignon**. Mélangez tous les ingrédients dans un saladier (sauf le **gaspacho**).

• Salez, poivrez et façonnez 12 boulettes. Enfournez-les 5 min (elles doivent être peu cuites). Répartissez le **gaspacho** frais dans 4 assiettes creuses. Ajoutez les boulettes chaudes et dégustez.

POT-AU-FEU COLORÉ DE JOUE DE BŒUF

Joues de bœuf
x 2

Thym
4 branches

Navets « boule d'or »
x 6

Betteraves blanches
x 4 (petites)

Patate douce
x 1

Sel, poivre

Préparation : 10 min
Cuisson : 2 h 50

- Épluchez les légumes. Mettez les **joues de bœuf**, le **thym**, les **navets** et les **betteraves** dans une cocotte, recouvrez d'eau et faites cuire 2 h 30 à feu très doux en écumant régulièrement.
- Ajoutez la **patate douce** en morceaux et laissez cuire 20 min de plus. Salez, poivrez et dégustez.

CHILI CON CARNE

Oignons rouges
x 2

Bœuf haché
600 g

Paprika
2 cuil. à soupe

Haricots rouges
2 boîtes (400 g chacune)

Coulis de tomates
50 cl

Sel, poivre

Préparation : 15 min
Cuisson : 50 min

• Épluchez et hachez les **oignons**. Saisissez le **bœuf** et les **oignons** dans 2 cuil. à soupe d'huile, ajoutez le **paprika**, laissez roussir 5 min puis ajoutez les **haricots** égouttés et le **coulis de tomates**.

• Laissez cuire 45 min à feu doux en remuant.

• Salez, poivrez et dégustez avec des morceaux d'avocat frais.

CÔTE DE BŒUF AU FOUR, FAUSSE BÉARNAISE

Mayonnaise
200 g

Moutarde à l'estragon
1 cuil. à soupe

Vinaigre
1 cuil. à café

Estragon
1 botte

Côte de bœuf épaisse
x 1 (1 kg)

Sel, poivre

Préparation : 15 min
Cuisson : 12 min
Repos : 5 min

- Mélangez la **mayonnaise** avec la **moutarde**, le **vinaigre** et l'**estragon** haché. Préchauffez le four à 180°C.
- Chauffez l'**huile** dans une poêle, colorez la **côte de bœuf** 1 min sur chaque face, salez, poivrez et enfournez-la 10 min en la tournant 1 fois.
- Laissez reposer 5 min sous une feuille d'aluminium et dégustez avec la sauce.

DAUBE PROVENÇALE

Basilic
1 botte

Tomates séchées
x 10

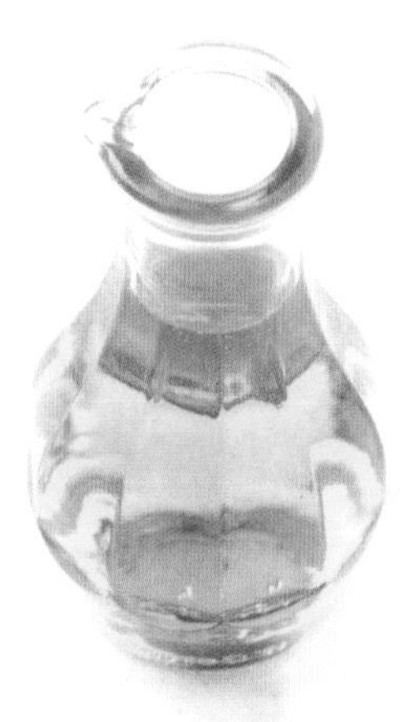

Huile d'olive
4 cuil. à soupe

Sauté de bœuf
1,2 kg (en morceaux)

Ail
4 gousses

Vin rouge
1 bouteille (75 cl)

Sel, poivre

Préparation : 25 min
Cuisson : 2 h

• Lavez et effeuillez le **basilic**. Taillez les **tomates séchées** en morceaux. Chauffez l'**huile** dans une cocotte. Colorez le **bœuf** sur toutes les faces.

• Ajoutez l'**ail** écrasé avec la peau et le **vin rouge**. Laissez mijoter 2 h à feu très doux. Salez, poivrez, ajoutez le **basilic**, les **tomates séchées**, mélangez et dégustez avec des pâtes fraîches.

TARTARE DE BŒUF FRAÎCHEUR

Oignon doux
x 1

Basilic
1 botte

Coriandre
1 botte

Huile d'olive
4 cuil. à soupe

Ketchup
4 cuil. à soupe

Bœuf haché
700 g

Sel, poivre

Préparation : 10 min

• Épluchez et hachez l'**oignon**, lavez, équeutez et ciselez le **basilic** et la **coriandre** avec les tiges.
• Mélangez l'ensemble avec l'**huile**, le **ketchup** et la **viande**.
• Salez, poivrez et dégustez.

BŒUF SAUTÉ AU BASILIC THAÏ

Poire de bœuf
600 g

Basilic asiatique
40 feuilles

Ail
4 gousses

Huile d'olive
6 cuil. à soupe

Sauce soja
4 cuil. à soupe

Sel, poivre

Préparation : 10 min
Cuisson : 3 min

- Découpez la **viande** en petits morceaux, lavez les feuilles de **basilic**, épluchez et hachez l'**ail**.
- Saisissez la **viande** et l'**ail** 3 min dans une poêle avec l'**huile d'olive**.
- Arrêtez le feu, ajoutez la **sauce soja** et les feuilles de **basilic**, mélangez, salez et poivrez.

PAVÉS DE BŒUF AU ROQUEFORT

Pavés de rumsteck
x 4

Roquefort
200 g

Préparation : 5 min
Cuisson : 10 min

• Découpez le **roquefort** en morceaux.
• Saisissez les **pavés** sans matière grasse dans une poêle brûlante et faites cuire 3 min de chaque côté.
• Laissez reposer 3 min hors du feu, recouvrez de **roquefort**, nappez du jus de viande et servez.

JARRETS AU FOIN

Jarrets de porc demi-sel
x 2 (cuits, avec os)

Foin
100 g

Sel, poivre

Préparation : 5 min
Cuisson : 45 min

- Placez le **foin** et les **jarrets** dans une cocotte, mouillez à hauteur et laissez cuire 45 min à feu doux et à couvert. Laissez tiédir les **jarrets** dans le bouillon.
- Égouttez-les, rincez-les, découpez-les puis dégustez avec une purée de pommes de terre.

TRAVERS DE PORC SAUCE BBQ

Travers de porc
1,2 kg

Ketchup
4 cuil. à soupe

Sauce soja
4 cuil. à soupe

Miel liquide
2 cuil. à soupe

Thym
4 branches

Sel, poivre

Préparation : 10 min
Cuisson : 50 min

• Préchauffez le four à 170°C. Découpez les **travers** en gros morceaux, enfournez-les 30 min.
• Sortez les **travers**, retirez la graisse et remettez-les dans le plat.
• Nappez avec un mélange de **ketchup**, **sauce soja**, **miel** et **thym** puis enfournez de nouveau 20 min en arrosant régulièrement pour bien les laquer. Salez, poivrez et dégustez.

MIGNONS DE PORC À LA MIMOLETTE

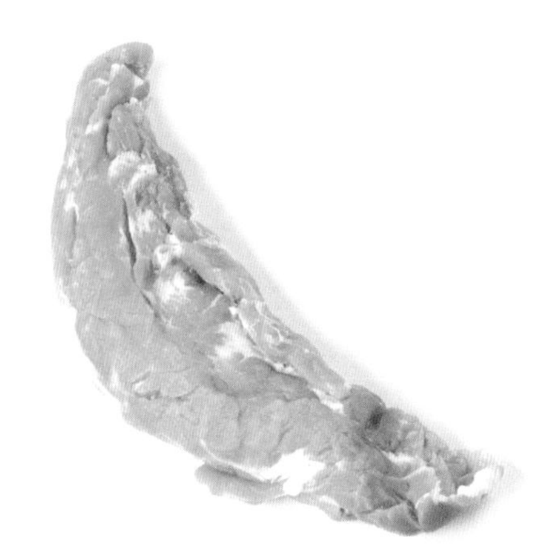

Filets mignons
x 2

Mimolette
300 g (en tranches)

 **Sel, poivre**

Préparation : 10 min
Cuisson : 45 min

• Préchauffez le four à 180°C. Saisissez les **filets mignons** dans une poêle avec 2 cuil. à soupe d'huile. Posez-les dans un plat et faites des entailles sur toute la longeur. Coupez les tranches de **mimolette** en quatre, pliez-les en deux et glissez-les dans les entailles de la viande.

• Salez, poivrez et enfournez 45 min. Ajoutez ½ verre d'eau à mi-cuisson et laissez gratiner.

PORC À LA CERISE

Cerises
x 24

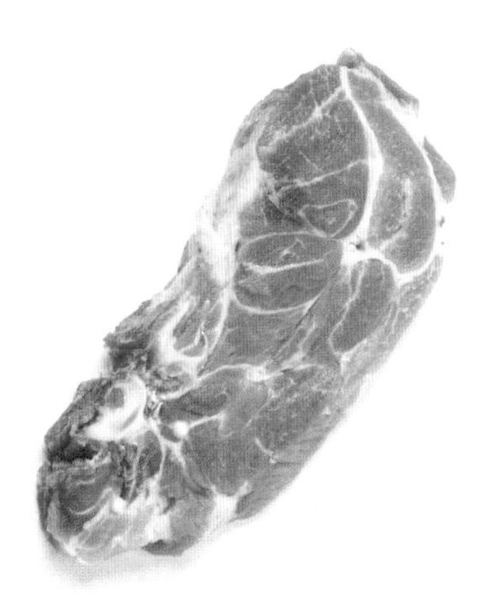

Côtes de porc (échine)
x 4

 **Sel, poivre**

Préparation : 15 min
Cuisson : 35 min

- Taillez le **porc** en cubes. Saisissez les cubes de **porc** dans une poêle avec une cuil. à soupe d'huile.
- Laissez cuire et colorer 25 min en remuant, ajoutez les **cerises** dénoyautées. Laissez cuire 10 min de plus, salez, poivrez et servez.

PORC AU CARAMEL

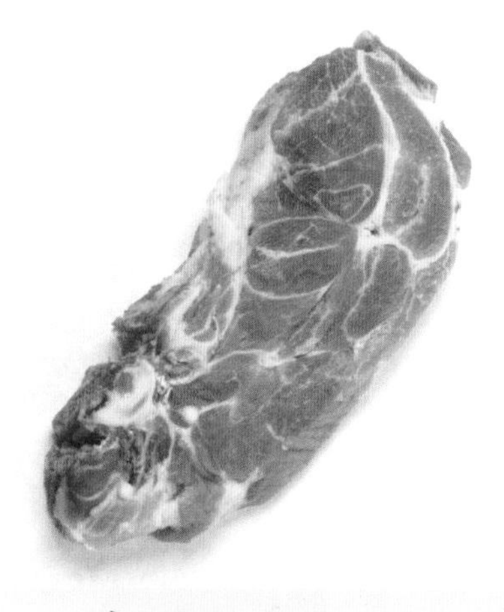

Échine de porc
800 g

Miel liquide
6 cuil. à soupe

Sauce soja
6 cuil. à soupe

Graines de sésame
1 cuil. à soupe

  **Sel, poivre**

Préparation : 5 min
Cuisson : 1 h 30

- Enfournez l'**échine** entière 1 h à 170°C.
- Dégraissez puis ajoutez le **miel** et la **sauce soja**.
- Enfournez 30 min de plus en arrosant de sauce régulièrement pour la laquer. Saupoudrez de **graines de sésame**.
- Découpez-la en petits morceaux, nappez du caramel **miel-soja** et dégustez avec du riz.

RÔTI DE PORC AUX POIVRONS

Poivrons multicolores
1 kg

Ail
8 gousses

Huile d'olive
4 cuil. à soupe

Rôti de porc
1,2 kg

Thym
4 branches

Vinaigre balsamique
4 cuil. à soupe

Sel, poivre

Préparation : 8 min
Cuisson : 45 min

• Équeutez, videz et émincez les **poivrons**. Écrasez les gousses d'**ail** avec la peau.
• Chauffez l'**huile** dans une cocotte, saisissez le **rôti**, ajoutez les **poivrons**, l'**ail** et le **thym**, salez, poivrez et laissez cuire 45 min à couvert.
• Ajoutez le **vinaigre**, mélangez et dégustez.

CHOU FARCI

Chou frisé
8 feuilles

Chair à saucisse
200 g

Veau haché
200 g

Raisins secs
50 g

Œuf
x 1

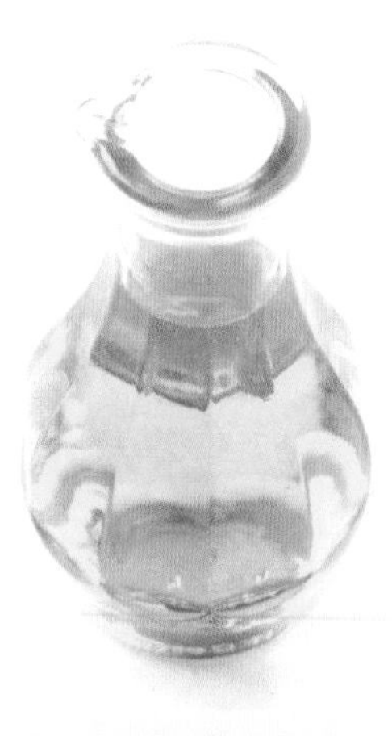

Huile d'olive
2 cuil. à soupe

Sel, poivre

Préparation : 20 min
Cuisson : 40 min

• Préchauffez le four à 170°C. Plongez les feuilles de **chou** 2 min dans l'eau bouillante, rafraîchissez-les, retirez les parties dures et coupez-les en deux.
• Mélangez la **chair à saucisse**, le **veau haché**, les **raisins secs** et l'**œuf**, salez, poivrez.
• Étalez le **chou**, disposez la farce sur les feuilles, roulez-les une par une et placez-les dans un plat. Arrosez d'**huile d'olive** et enfournez 35 min.

ENDIVES AU JAMBON DE PAYS

Crème liquide
25 cl

Fromage râpé
250 g

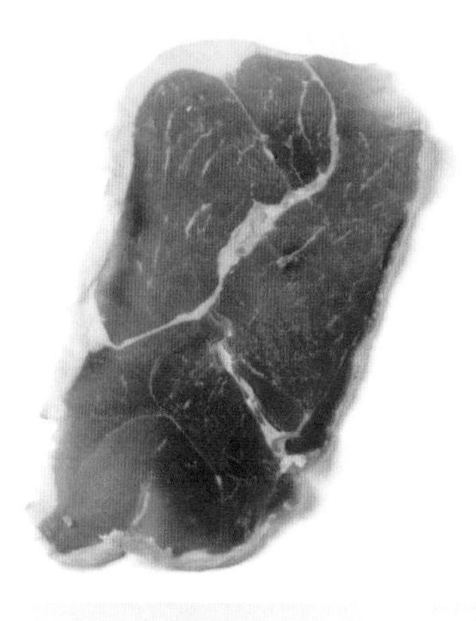

Jambon cru
4 tranches fines

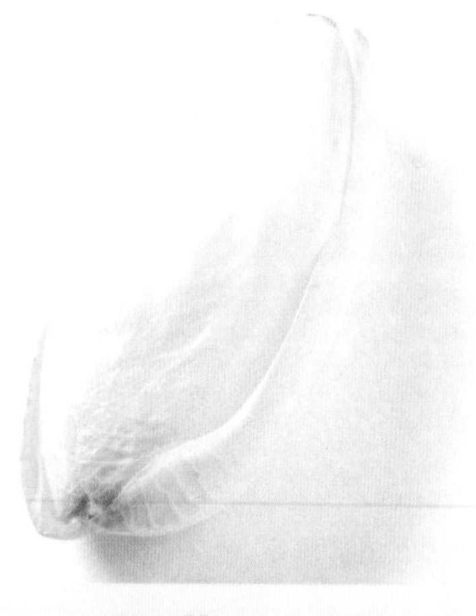

Endives
x 4

 **Poivre**

Préparation : 10 min
Cuisson : 25 min

- Préchauffez le four à 180°C. Mélangez la **crème** et le **fromage**. Coupez les tranches de **jambon** en deux dans le sens de la longueur.
- Enveloppez chaque ½ **endive** d'une ½ tranche de **jambon**.
- Dans un plat, recouvrez-les de crème au fromage, poivrez et enfournez 25 min jusqu'à ce que les **endives** soient gratinées.

BOULETTES À L'ORIENTALE

Bœuf haché
200 g

Chair à saucisse
200 g

Cumin en poudre
2 cuil. à soupe

Œuf
x 1

Poivrons multicolores
x 3

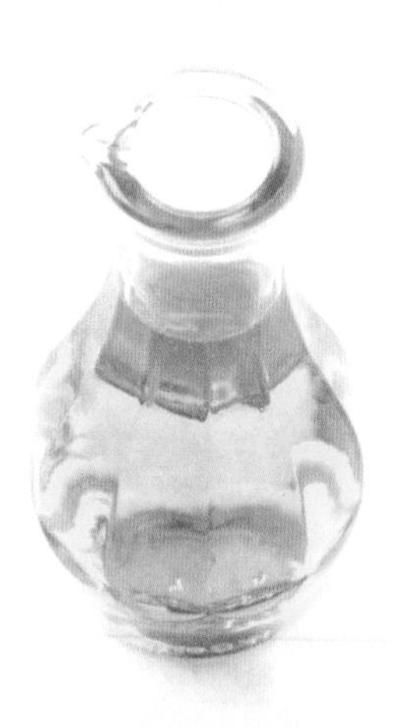

Huile d'olive
2 cuil. à soupe

Préparation : 10 min
Cuisson : 35 min

- Préchauffez le four à 170 °C. Mélangez le **bœuf haché**, la **chair à saucisse**, le **cumin** et l'**œuf**. Malaxez et formez des boulettes régulières.
- Découpez les **poivrons** en lanières. Disposez l'ensemble dans un plat, arrosez d'**huile d'olive**, salez, poivrez et enfournez 35 min.
- Ajoutez 2 cuil. à soupe d'eau, mélangez en grattant le fond du plat et dégustez.

JARRETS AU CHOU ROUGE À LA BIÈRE

Chou rouge
x 1

Beurre
80 g

Jarrets de porc demi-sel
x 4 (cuits, avec os)

Cumin
2 cuil. à soupe

Bière
66 cl

Pruneaux
x 8

Poivre

Préparation : 15 min
Cuisson : 2 h

• Râpez le **chou rouge** dans un robot. Faites fondre le **beurre** dans une cocotte, saisissez les **jarrets** et laissez colorer.

• Ajoutez le **chou rouge**, 20 cl d'eau et le **cumin**, couvrez et laissez cuire 1 h à feu doux en remuant.

• Ajoutez la **bière**, les **pruneaux** et laissez cuire cuire 1 h de plus pour que les **jarrets** soient fondants. Poivrez.

MERGUEZ AUX TOMATES CERISE

Romarin
2 branches

Tomates cerise
500 g (mélangées)

Merguez
x 4

 **Sel, poivre**

Préparation : 10 min
Cuisson : 20 min

- Préchauffez le four à 170°C. Hachez le **romarin**.
- Coupez les **tomates** en deux. Piquez les **merguez** avec une fourchette et placez-les dans un plat à four.
- Enfournez-les 10 min puis ajoutez les **tomates** et faites cuire 10 min de plus. Parsemez de **romarin**, salez, poivrez, mélangez et dégustez avec une purée de pommes de terre.

ÉCRASÉ DE POMMES DE TERRE AU BOUDIN

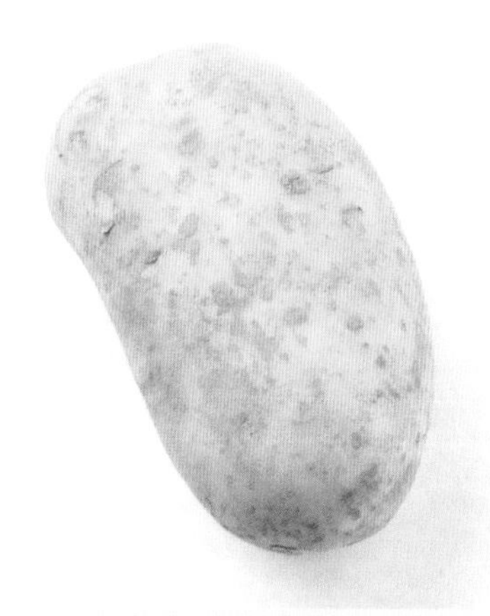

Pommes de terre
400 g

Boudin noir
600 g

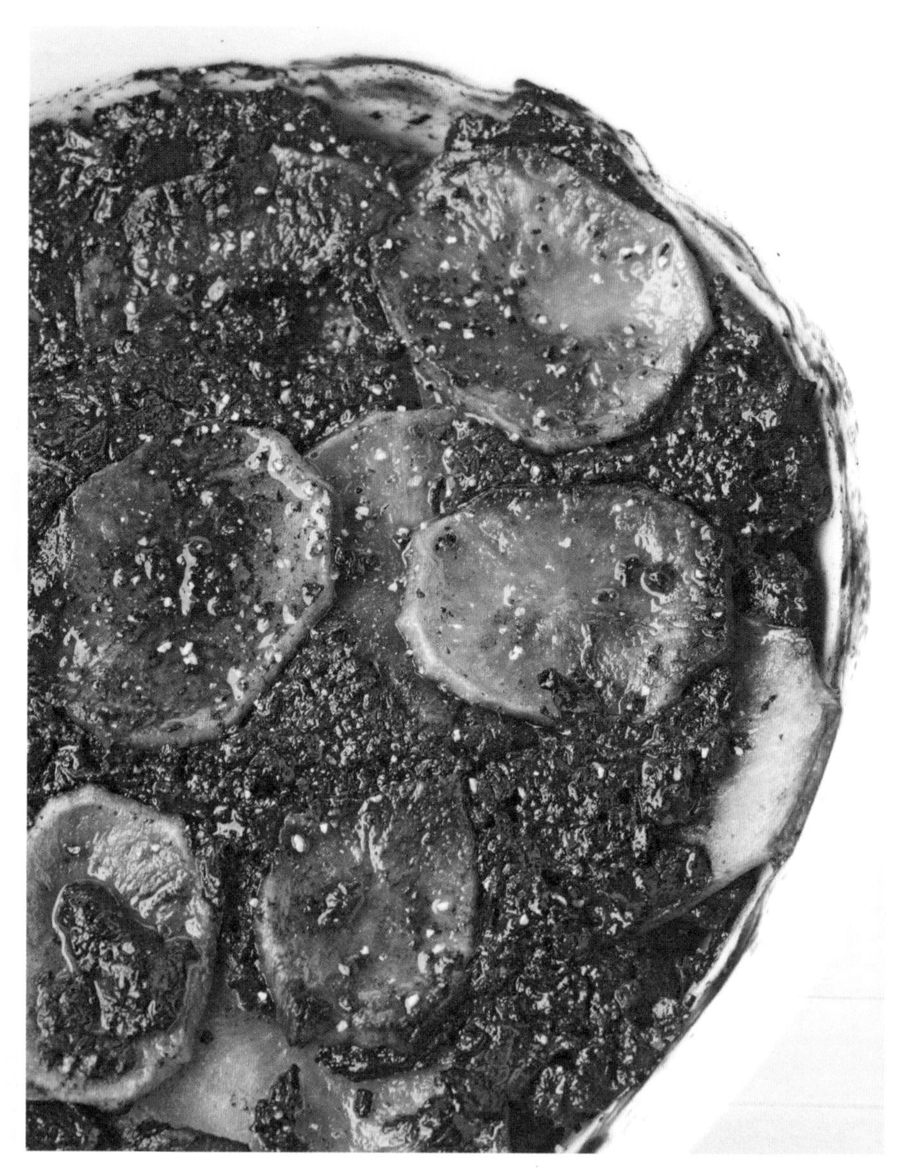

Sel, poivre

Préparation : 10 min
Cuisson : 45 min

- Préchauffez le four à 180°C. Épluchez et taillez les **pommes de terre** en tranches fines.
- Retirez la peau du **boudin**. Récupérez la chair et mélangez-la dans un plat à gratin avec les tranches de **pommes de terre**.
- Salez, poivrez, tassez bien et enfournez 45 min.

PILONS DE POULET AU PAIN D'ÉPICE

Pain d'épice
4 tranches

Pilons de poulet
x 8

Sel, poivre

Préparation : 10 min
Cuisson : 45 min

• Préchauffez le four à 180°C. Mixez le **pain d'épice** avec 8 cl d'eau.

• Répartissez les **pilons de poulet** dans un grand plat à four, nappez avec le **pain d'épice**, remuez pour bien les enrober, salez, poivrez et enfournez 45 min. Remuez de temps en temps pour bien les colorer. Dégustez avec de la moutarde ou une sauce BBQ.

CUISSES DE POULET AU BEURRE DE SAUGE

Cuisses de poulet
x 4

Sauge
1 botte

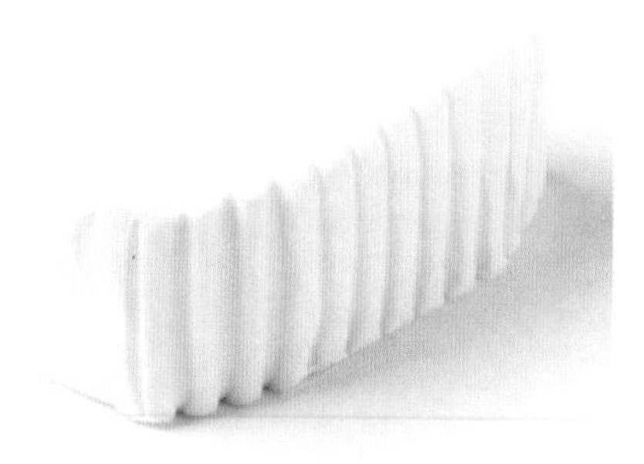

Beurre
100 g

 **Sel, poivre**

Préparation : 10 min
Cuisson : 55 min
Repos : 5 min

- Enfournez les **cuisses de poulet** 50 min à 180°C, arrosez régulièrement avec le jus de cuisson, salez, poivrez.
- Lavez et effeuillez la **sauge**, coupez les grosses feuilles en deux.
- Faites cuire le **beurre** avec la **sauge** jusqu'à ce qu'il colore. Laissez infuser 5 min. Versez le beurre de **sauge**, sur le **poulet**.

POULET AUX NOIX DE CAJOU

Blancs de poulet
x 4

Oignon doux
x 1

Noix de cajou
200 g

Miel liquide
2 cuil. à soupe

Sauce soja
4 cuil. à soupe

Coriandre
1 botte

3 cuil. à soupe d'huile d'olive

Préparation : 5 min
Cuisson : 12 min

- Chauffez 3 cuil. à soupe d'huile dans une poêle. Saisissez les **blancs de poulet** coupés en morceaux.
- Ajoutez l'**oignon** haché, les **noix de cajou**, laissez roussir 5 min puis versez le **miel** et la **sauce soja**.
- Faites cuire 5 min de plus en remuant et ajoutez la **coriandre** hachée.

POULET COCO CITRONNELLE

Cuisses de poulet
x 4

Tomates
x 4

Citrons confits
x 2

Citronnelle
2 tiges

Basilic
20 feuilles

Lait de coco
80 cl

Sel, poivre

Préparation : 15 min
Cuisson : 1 h

• Préchauffez le four à 170°C. Posez 4 **cuisses de poulet** coupées en deux dans un grand plat, ajoutez les **tomates** et les **citrons confits** en morceaux, la **citronnelle** émincée, le **basilic**, le **lait de coco**.

• Salez, poivrez et enfournez 1 h en arrosant de temps en temps. Lorsque le **poulet** est bien cuit, servez dans le plat et dégustez avec du riz.

POULET FRIT À LA CRÈME D'AVOCAT

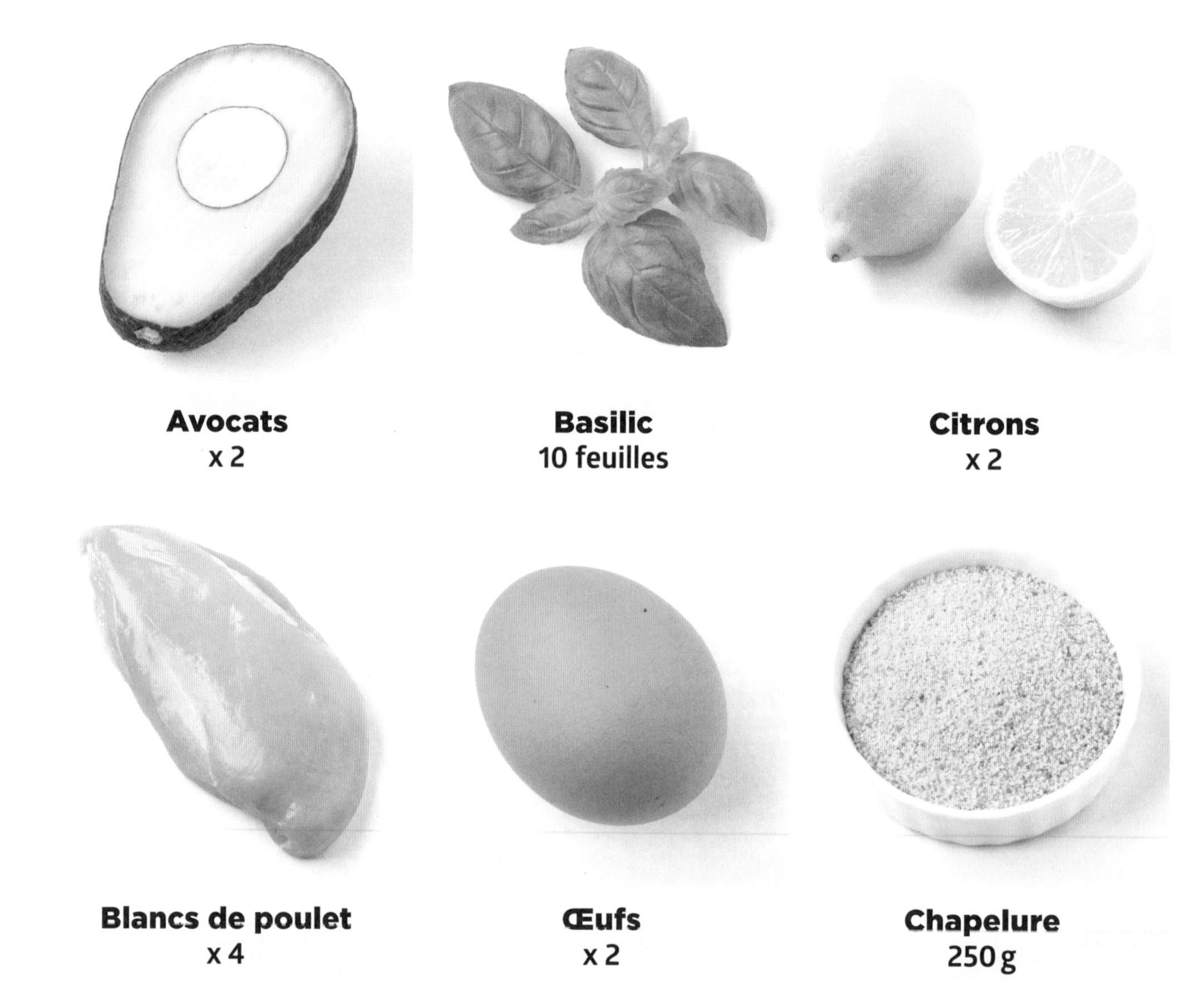

Avocats
x 2

Basilic
10 feuilles

Citrons
x 2

Blancs de poulet
x 4

Œufs
x 2

Chapelure
250 g

Sel, poivre
+ 1 bain de friture (50 cl)

Préparation : 15 min
Cuisson : 5 min

- Épluchez et mixez l'**avocat** avec le **basilic** et le jus des **citrons**, salez et poivrez.
- Découpez le **poulet** en lanières.
- Passez-les dans les **œufs** battus puis dans la **chapelure** et faites-les frire 5 min.
- Dégustez accompagné de la crème d'avocat.

POULET RÔTI AU PAPRIKA

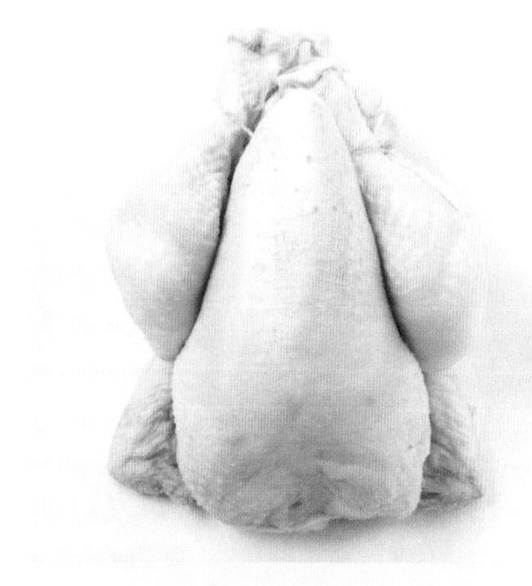

Poulet fermier
x 1

Paprika
1 cuil. à soupe

Curry
2 cuil. à café

Citrons
x 2

Huile d'olive
4 cuil. à soupe

Sel, poivre

Préparation : 5 min
Cuisson : 1h

• Préchauffez le four à 180°C.

• Salez, poivrez et badigeonnez le **poulet** avec le **paprika**, le **curry**, le jus des **citrons** et l'**huile d'olive**.

• Enfournez 1h à 180°C en l'arrosant régulièrement. Lorsque le **poulet** est cuit, dressez-le sur un plat et dégustez-le avec son jus de cuisson.

POULET SAUTÉ AUX CÈPES ET CHÂTAIGNES

Cèpes séchés
10 g

Blancs de poulet
x 4

Crème
60 cl

Châtaignes
400 g (en bocal)

Préparation : 15 min
Cuisson : 35 min
Trempage : 20 min

• Mettez les **cèpes** à tremper dans 15 cl d'eau. Coupez les **blancs de poulet** en morceaux et saisissez-les avec 3 cuil. à soupe d'huile dans une cocotte. Essorez, coupez et ajoutez les **cèpes** avec leur eau.

• Laissez réduire 5 min puis ajoutez la **crème** et les **châtaignes**. Laissez mijoter 25 min à feu doux. Salez, poivrez et dégustez.

POULET AU PERSIL ET PARMESAN

Cuisses de poulet
x 4

Huile d'olive
2 cuil. à soupe

Persil plat
1 botte

Citrons bio
x 2

Parmesan râpé
4 cuil. à soupe

Sel, poivre

Préparation : 8 min
Cuisson : 50 min

- Préchauffez le four à 180°C.
- Enfournez les **cuisses de poulet** coupées en deux pendant 45 min à 180°C. Salez, poivrez, arrosez d'**huile d'olive**.
- Lavez et hachez le **persil**. Râpez le zeste, pressez le jus des **citrons** et mélangez l'ensemble avec le **parmesan**. Ajoutez sur le **poulet** et faites cuire 5 min de plus. Mélangez et dégustez.

POULET À L'ESTRAGON

Estragon
6 branches

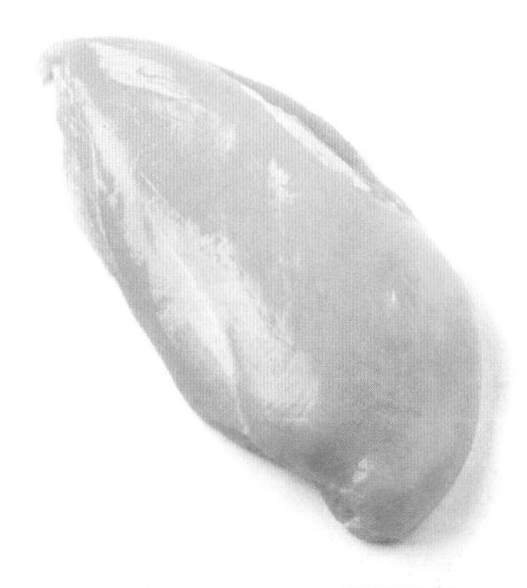

Blancs de poulet
x 4

Paprika
4 cuil. à soupe

Crème
33 cl

 **Sel, poivre**

Préparation : 5 min
Cuisson : 12 min

- Effeuillez et lavez l'**estragon**.
- Chauffez 2 cuil. à soupe d'huile dans une grande poêle, découpez puis saisissez les **blancs de poulet**, ajoutez le **paprika** et la **crème**.
- Baissez le feu et laissez cuire 10 min en remuant. Ajoutez l'**estragon**, salez, poivrez et mélangez.

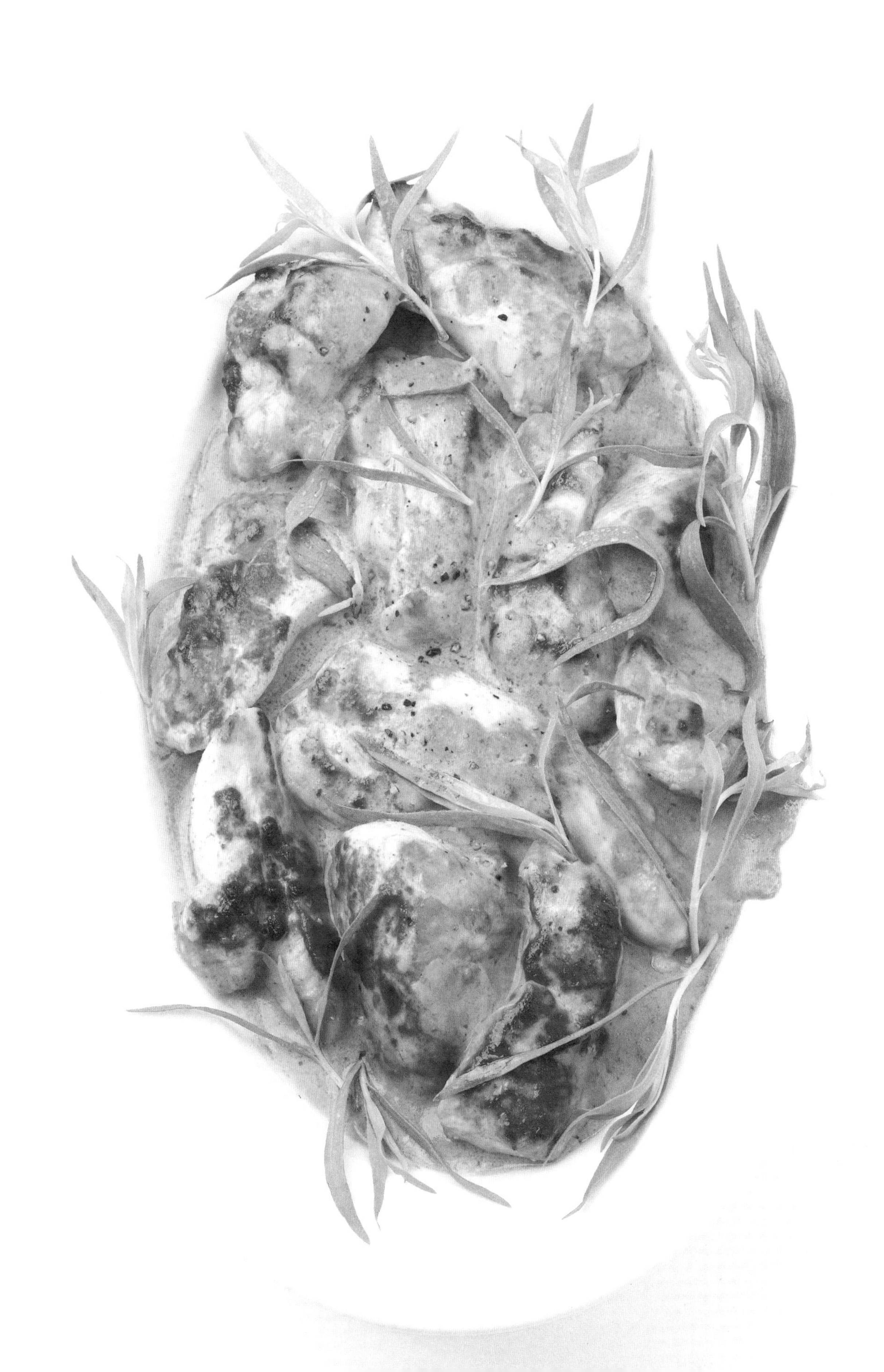

COLOMBO DE POULET

Cuisses de poulet
x 4

Oignons
x 2 (gros)

Coriandre
1 botte

Lait de coco
80 cl

Pâte à colombo
4 cuil. à soupe

Sel, poivre

Préparation : 15 min
Cuisson : 1h

• Préchauffez le four à 170°C. Placez les 4 **cuisses de poulet** coupées en deux dans un grand plat, ajoutez l'**oignon** et la **coriandre** hachés, le **lait de coco** et la **pâte à colombo**.
• Salez, poivrez et enfournez 1h en arrosant de temps en temps. Servez directement dans le plat et dégustez avec du riz.

CAILLES AUX RAISINS

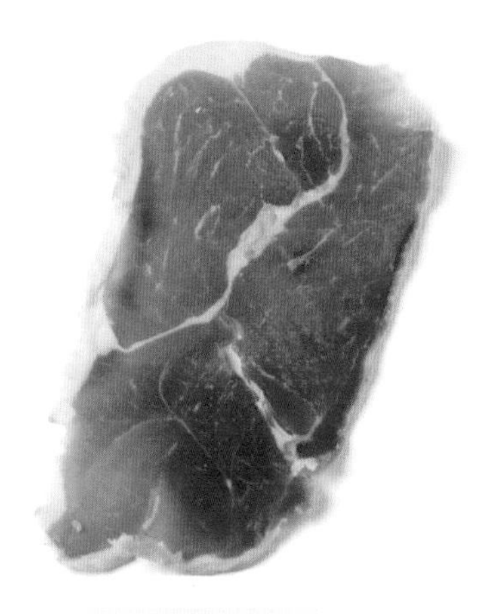

Jambon cru
4 tranches fines

Cailles
x 4

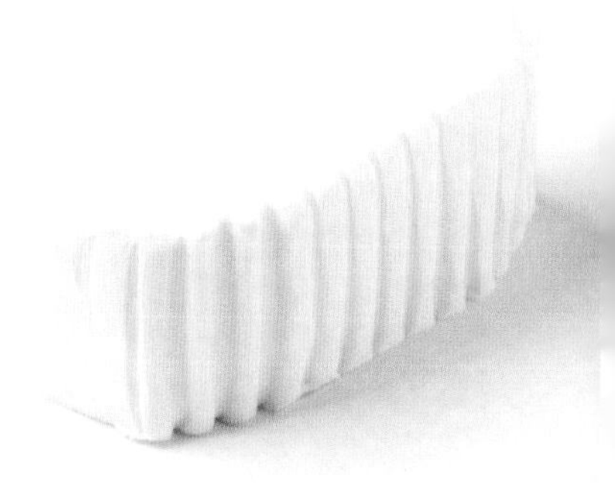

Beurre
80 g

Cognac
2 cl

Raisin blanc italien
40 grains (sans pépins)

Bouquet garni
x 1

Sel, poivre

Préparation : 15 min
Cuisson : 30 min

• Ficelez une tranche de **jambon** autour de chaque **caille**. Saisissez-les dans une cocotte avec le **beurre**, versez le **cognac**, flambez et faites cuire 20 min à feu doux.

• Ajoutez les **grains de raisin**, le **bouquet garni** et laissez cuire 10 min de plus en remuant. Servez directement dans la cocotte et dégustez les **cailles** accompagnées d'une purée de marrons.

POMMES DE TERRE AU CONFIT DE CANARD

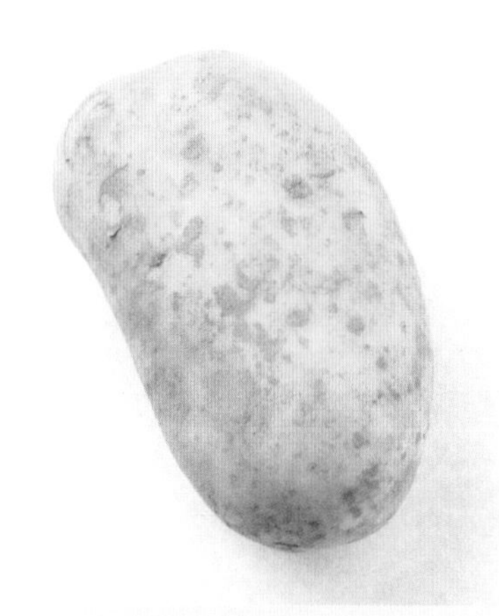

Pommes de terre
600 g (grosses)

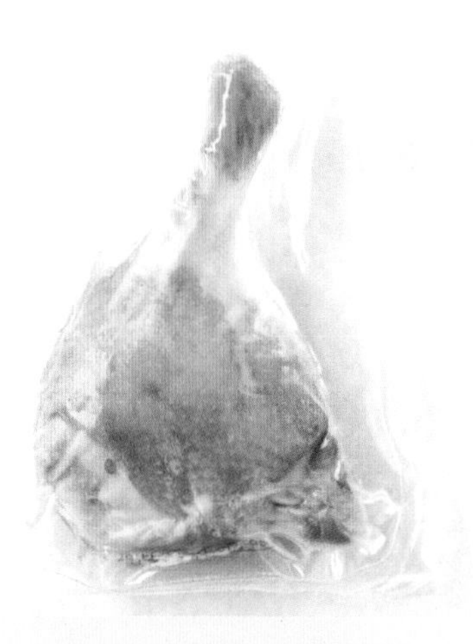

Canard confit
4 cuisses

Tapenade
2 cuil. à soupe

Thym
4 branches

Sel, poivre

Préparation : 10 min
Cuisson : 45 min

- Préchauffez le four à 180°C. Épluchez les **pommes de terre** et coupez-les en fines rondelles. Désossez, hachez et mélangez le **canard**, la **tapenade** et le **thym.**
- Remplissez un plat à gratin en alternant le **canard** et les **pommes de terre**. Enfournez 45 min. Lorsque les **pommes de terre** sont dorées, servez accompagné d'une salade.

MAGRETS SAUTÉS À L'ANANAS

Coriandre
10 brins

Magrets de canard
x 2

Ananas
6 tranches (en boîte)

Sauce soja
4 cuil. à soupe

Préparation : 15 min
Cuisson : 10 min

- Effeuillez et lavez la **coriandre**. Dégraissez et découpez le **magret** en petits morceaux.
- Taillez les tranches d'**ananas** en six.
- Chauffez un grand wok, saisissez le **canard**, puis ajoutez l'**ananas** et la **sauce soja**, laissez caraméliser. Ajoutez la **coriandre**, mélangez et dégustez.

MAGRETS À L'ABRICOT ET AU ROMARIN

Magrets de canard
x 2

Romarin
4 branches

Abricots
x 12 (fermes)

Miel liquide
2 cuil. à soupe

Sauce soja
8 cuil. à soupe

Préparation : 8 min
Cuisson : 11 min
Repos : 3 min

- Préchauffez le four à 180°C. Enfournez 6 min le **magret** côté peau dans un plat anti-adhésif.
- Retournez-le, videz la graisse, ajoutez le **romarin**, les **abricots** dénoyautés, le **miel** et la **sauce soja**.
- Remettez à cuire 5 min en arrosant. Sortez du four et laissez reposer 3 min.
- Taillez le **magret** en tranches et servez avec les **abricots** et la sauce.

CUISSES DE CANARD AUX NAVETS ET RADIS

Estragon
1 botte

Navets nouveaux
x 12 (petits)

Radis roses
x 12

Huile d'olive
2 cuil. à soupe

Cuisses de canard
x 4

Sel, poivre

Préparation : 10 min
Cuisson : 1 h 05

- Lavez et effeuillez l'**estragon**. Lavez, épluchez et équeutez les **navets** et les **radis**.
- Chauffez l'**huile** dans une cocotte, colorez les **cuisses de canard** 5 min puis ajoutez les **navets** et les **radis**.
- Versez 30 cl d'eau, couvrez et laissez cuire 1 h à feu doux. Ajoutez l'**estragon**, le sel et le poivre, mélangez et dégustez.

PARMENTIER DE CANARD CONFIT

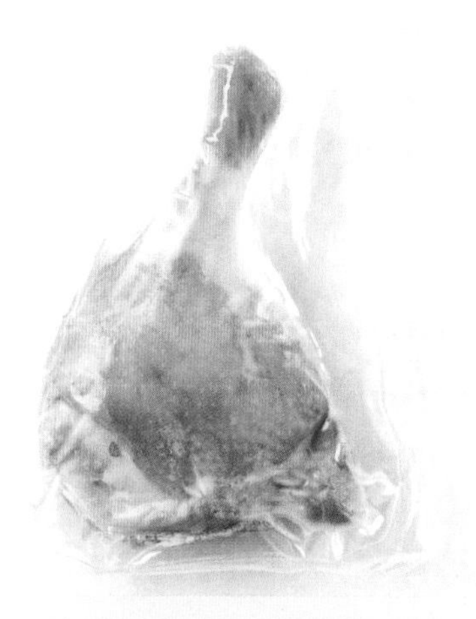

Canard confit
4 cuisses

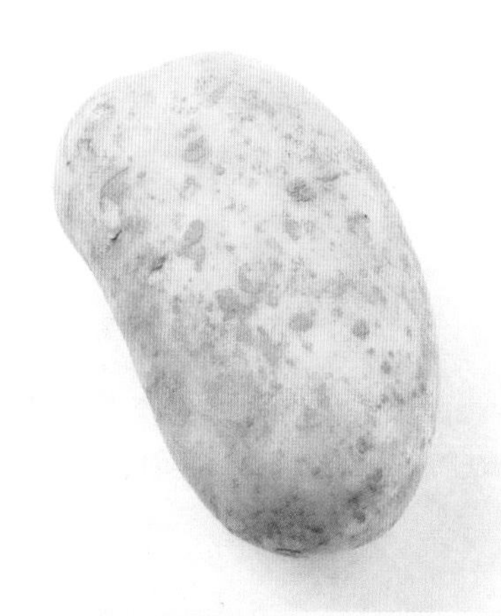

Pommes de terre
300 g

Patates douces
300 g

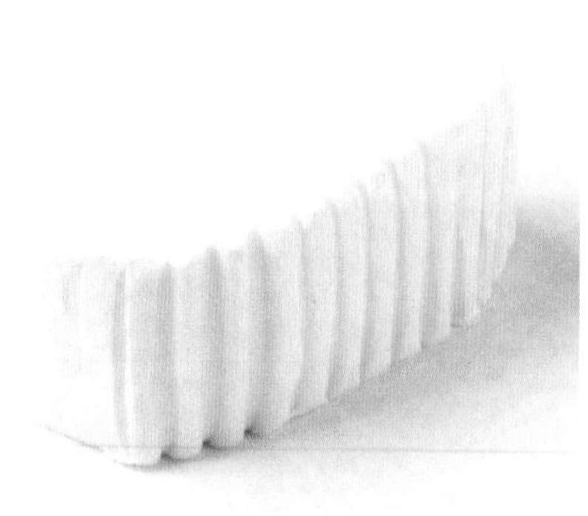

Beurre
80 g

Salade mélangée
200 g

Huile de noix
2 cuil. à soupe

Sel, poivre

Préparation : 15 min
Cuisson : 1 h

• Enfournez 30 min le **canard** à 170 °C. Épluchez et faites cuire les **pommes de terre** et les **patates douces** à l'eau bouillante salée. Égouttez et écrasez-les à la fourchette avec le **beurre**, salez, poivrez.

• Désossez et hachez le **canard** avec la peau. Assaisonnez la **salade** avec l'**huile**. Dressez en superposant purée, **canard** et **salade**.

TOMATES FARCIES AU CANARD

Tomates
x 12 (moyennes)

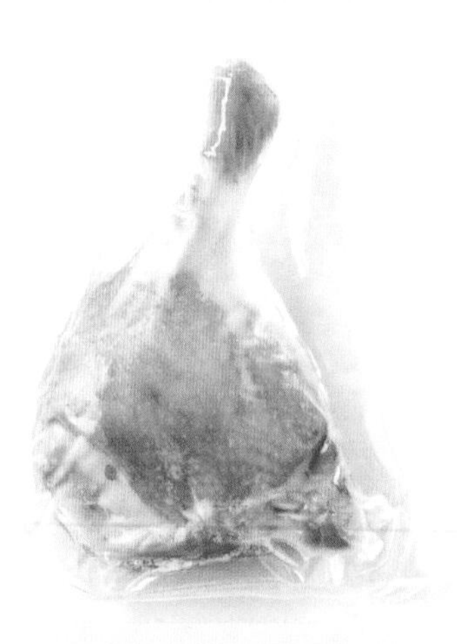

Canard confit
4 cuisses

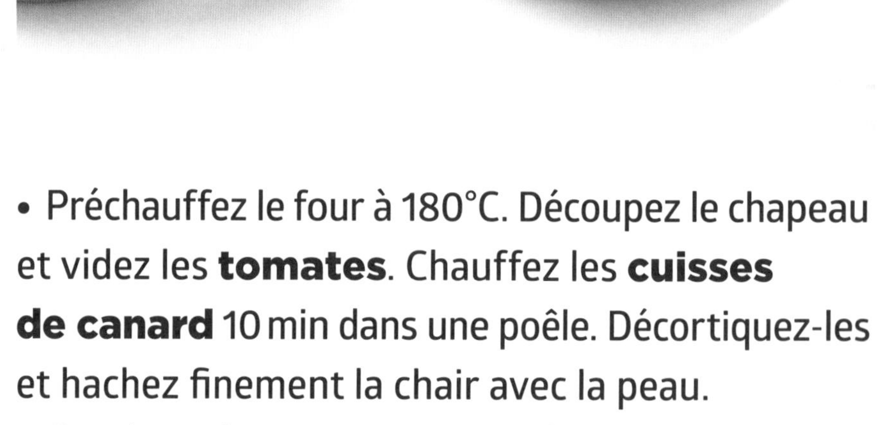

Sel, poivre

Préparation : 20 min
Cuisson : 35 min

- Préchauffez le four à 180°C. Découpez le chapeau et videz les **tomates**. Chauffez les **cuisses de canard** 10 min dans une poêle. Décortiquez-les et hachez finement la chair avec la peau.
- Garnissez les **tomates** avec la chair de **canard** et placez-les dans un grand plat. Enfournez 25 min à 180°C. Dégustez accompagné d'une purée.

PINTADE AUX OLIVES

Tapenade
200 g

Pintade
4 cuisses

Sel, poivre

Préparation : 10 min
Cuisson : 1 h 10

- Préchauffez le four à 170°C. Portez à ébullition la **tapenade** mélangée avec 20 cl d'eau.
- Découpez les **cuisses de pintade** en deux, placez-les dans un plat à four, recouvrez-les de **tapenade** et enfournez 1 h en remuant de temps en temps.
- Dégustez avec une purée de pommes de terre.

PINTADE AU CHOU

Chou frisé
x 1 (environ 1 kg)

Pintade
x 1 (en morceaux)

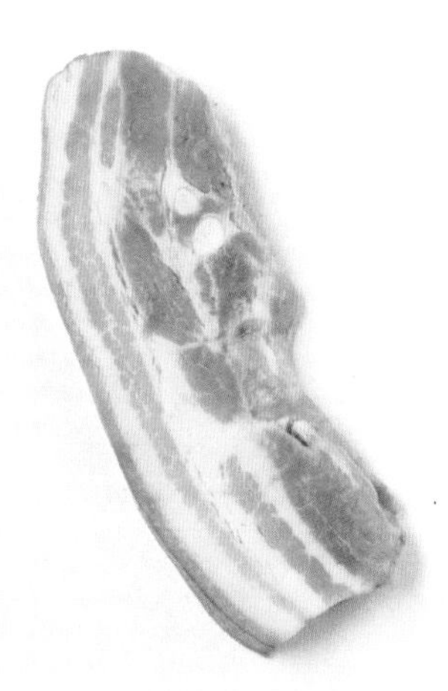

Lard cuit
2 tranches

Thym
4 branches

Gros sel
1 cuil. à café

 **Poivre**

Préparation : 10 min
Cuisson : 1 h 30

• Coupez le **chou** en six et lavez-le. Mettez les morceaux de **pintade** et de **chou** dans une cocotte en fonte.
• Ajoutez le **lard** découpé en morceaux, le **thym**, 1 cuil. à café de **gros sel** et un verre d'eau.
• Couvrez et laissez cuire 1 h 30 à feu très doux. Posez la cocotte sur la table et dégustez.

CUISSE DE DINDE À LA FONDUE D'OIGNON

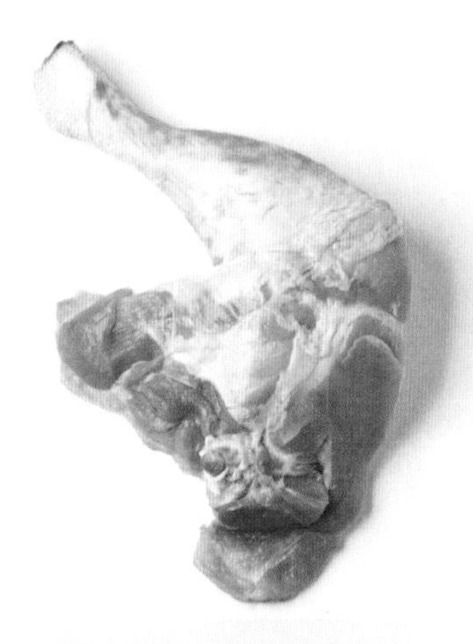

Cuisse de dinde
x 1

Oignons verts
1 botte

Sirop d'érable
6 cuil. à soupe

Sauce soja
4 cuil. à soupe

Préparation : 10 min
Cuisson : 1 h

• Préchauffez le four à 180°C. Enfournez la **cuisse de dinde** dans un plat pour 30 min.
• Épluchez et émincez les **oignons** avec les queues et ajoutez-les autour de la **dinde**. Nappez avec le **sirop d'érable** et la **sauce soja**.
• Laissez cuire 30 min de plus en arrosant régulièrement avec le jus de cuisson. Servez avec des pâtes fraîches.

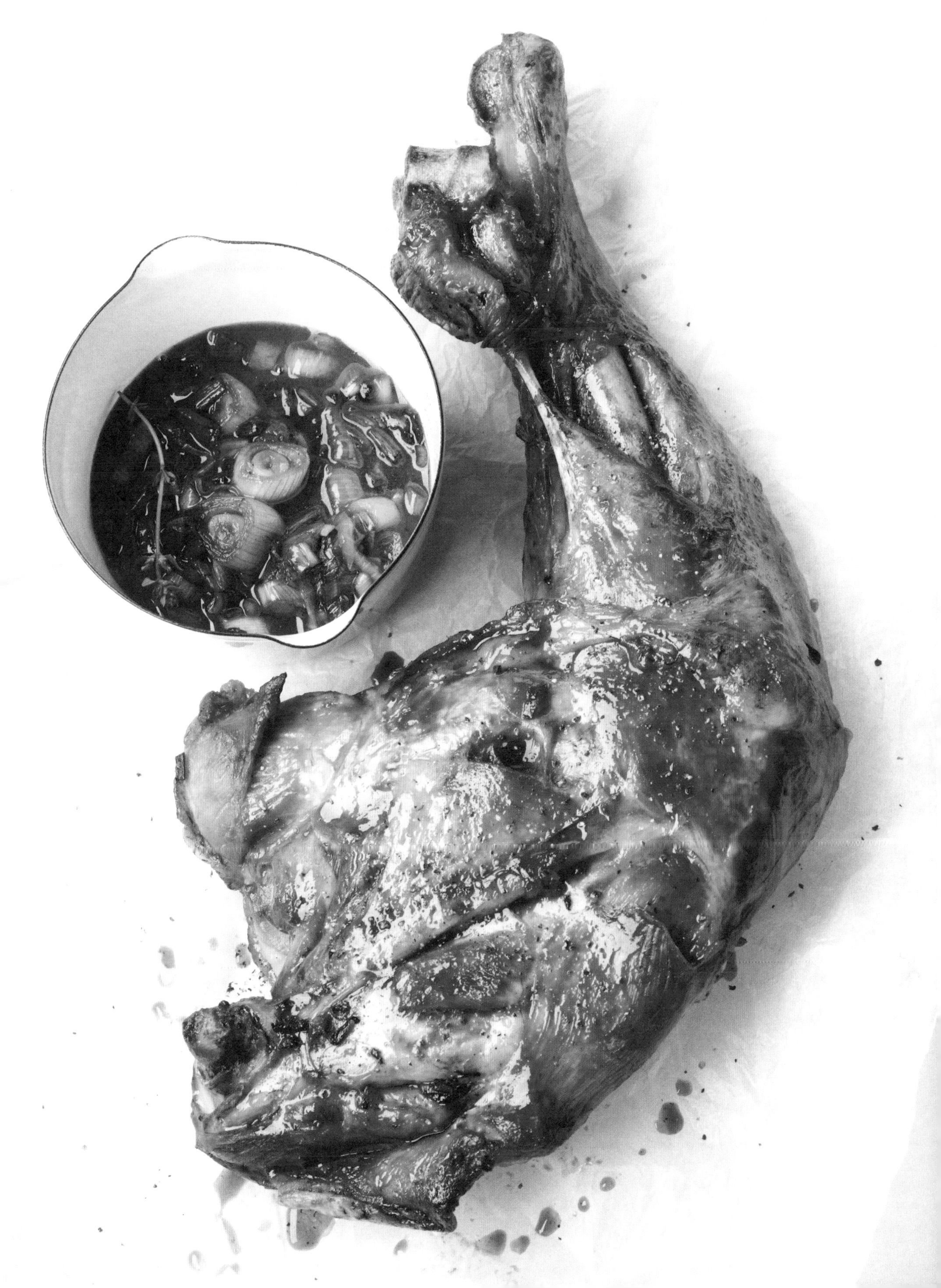

LAPIN À LA MOUTARDE

Moutarde de Dijon
4 cuil. à soupe

Crème
20 cl

Thym
2 cuil. à café

Cuisses de lapin
x 4

Ail
8 gousses

Huile d'olive
2 cuil. à soupe

Sel, poivre

Préparation : 5 min
Cuisson : 45 min

- Préchauffez le four à 180°C. Fouettez la **moutarde** avec la **crème** et le **thym**. Posez les **cuisses de lapin** et les gousses d'**ail** avec la peau dans un grand plat.
- Salez, poivrez, arrosez d'**huile d'olive** et enfournez 20 min.
- Nappez de crème à la **moutarde** et enfournez de nouveau 25 min. Sortez le plat du four et dégustez.

POULET FAÇON COQ AU VIN AUX PRUNEAUX

Cuisses de poulet
x 4 (découpées en deux)

Lardons
300 g

Farine
1 cuil. à soupe

Vin rouge
1 bouteille (75 cl)

Pruneaux
x 10

 **Sel, poivre**

3 cuil. à soupe d'huile

Préparation : 15 min
Cuisson : 1 h 30

- Chauffez 3 cuil. à soupe d'huile à feu vif dans une cocotte. Saisissez et colorez le **poulet**, ajoutez les **lardons**, la **farine**.
- Versez le **vin rouge**, baissez le feu et laissez mijoter 1 h 30 à feu doux en remuant de temps en temps.
- Ajoutez les **pruneaux**, rectifiez l'assaisonnement et servez directement dans la cocotte.

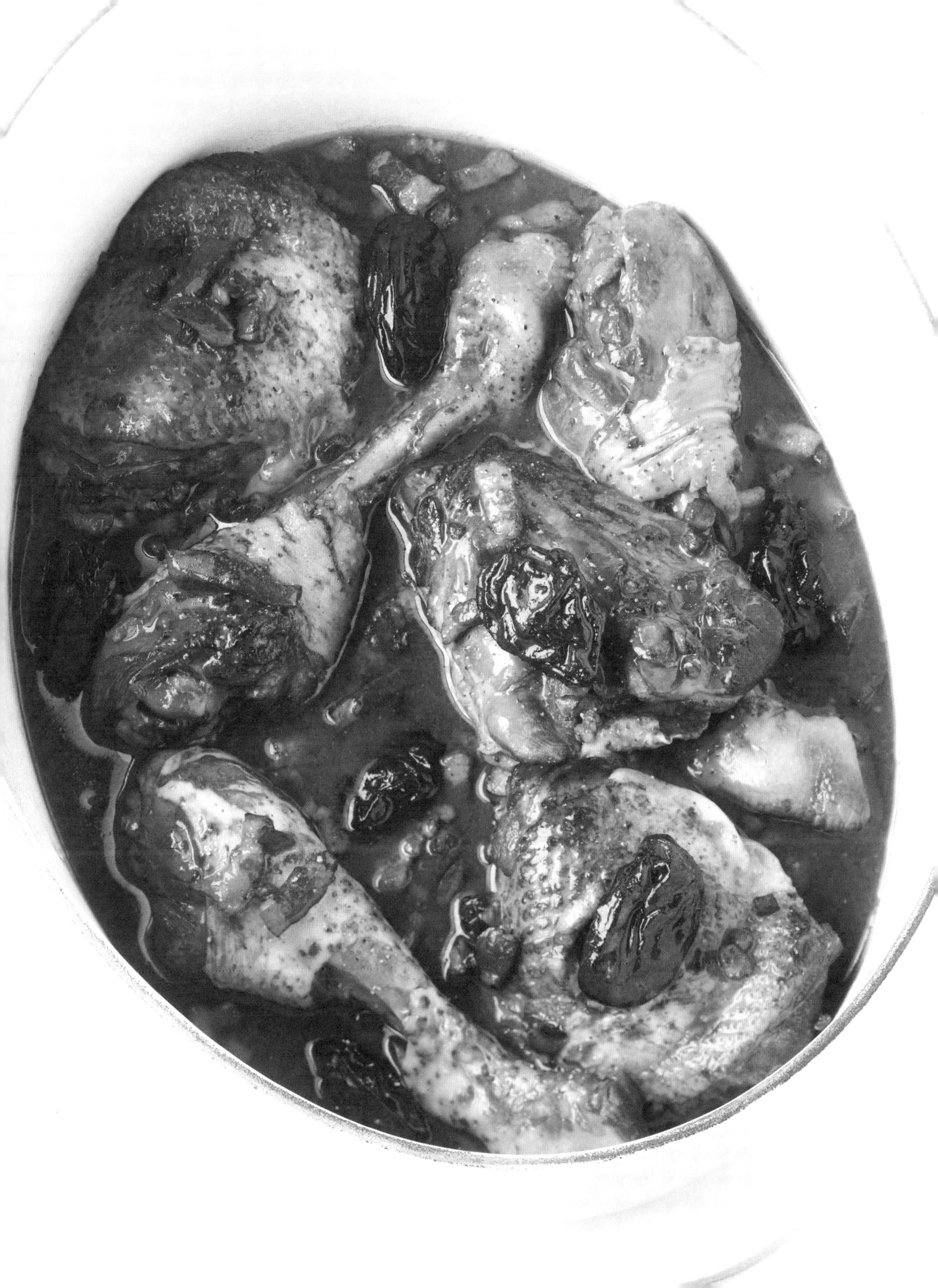

FILETS DE SOLE ROULÉS AU PESTO

Filets de sole
x 8

Pesto
1 cuil. à soupe

Sel, poivre

Préparation : 5 min
Cuisson : 35 min

• Préchauffez le four à 170°C. Badigeonnez les **filets de sole** avec le **pesto**, roulez-les, placez-les dans un plat à four et enfournez 35 min.
• Dégustez immédiatement avec une purée de pommes de terre ou des pâtes fraîches.

RAIE À L'ESTRAGON

Estragon
1 botte

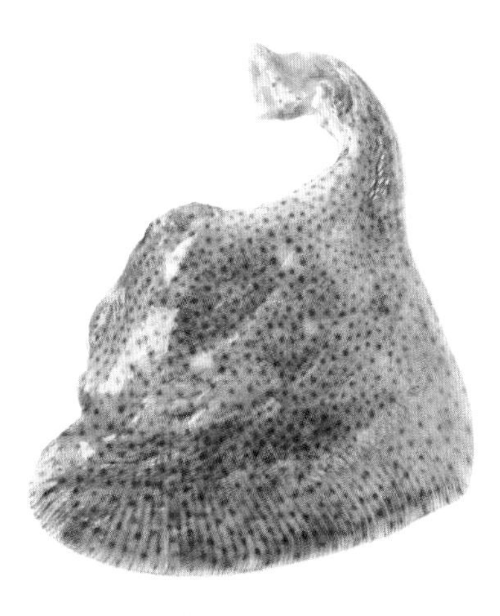

Aile de raie
1,2 kg (entière avec la peau)

Sel, poivre

Préparation : 10 min
Cuisson : 20 min
Attente : 1 nuit

• Lavez, effeuillez et hachez l'**estragon**. Placez la **raie** dans une casserole, couvrez d'eau et faites cuire 20 min à feu doux puis égouttez-la.

• Retirez la peau et le cartilage. Mélangez la chair avec l'**estragon** et 1 cl d'eau de cuisson. Garnissez une terrine, tassez et laissez prendre une nuit au réfrigérateur. Dégustez en tranches épaisses nature ou avec une vinaigrette.

CARPACCIO DE BAR, FRAMBOISE ESTRAGON

Estragon
4 branches

Framboises
x 20

Filets de bar
500 g (sans peau ni arêtes)

Citrons
x 2

Huile d'olive
4 cuil. à soupe

Sel, poivre

Préparation : 10 min

• Lavez et hachez l'**estragon**. Écrasez les **framboises**. Coupez le **bar** en tranches fines puis disposez-les dans 4 petites assiettes.

• Ajoutez les **framboises**, l'**estragon**, le jus des **citrons** et l'**huile d'olive**, salez, poivrez et dégustez avec du pain grillé.

DOS DE CABILLAUD TOMATE BASILIC

Ail
2 gousses

Tomates
x 4 (moyennes)

Basilic
1 botte

Huile d'olive
4 cuil. à soupe

Dos de cabillaud
x 4 (frais ou surgelés)

Sel, poivre

Préparation : 10 min
Cuisson : 20 min

- Préchauffez le four à 170 °C. Épluchez l'**ail**, coupez les **tomates** en dés, effeuillez et lavez le **basilic**.
- Mixez l'ensemble dans un robot avec 2 cuil. d'**huile d'olive**, salez, poivrez et réservez.
- Posez le **cabillaud** dans un plat, arrosez-le avec le reste d'**huile d'olive** et enfournez 20 min.
- Nappez le poisson de sauce froide et dégustez.

DAURADE EN CROÛTE DE SEL AUX HERBES

Romarin
4 grandes branches

Thym
10 branches

Persil plat
½ botte

Gros sel gris
600 g

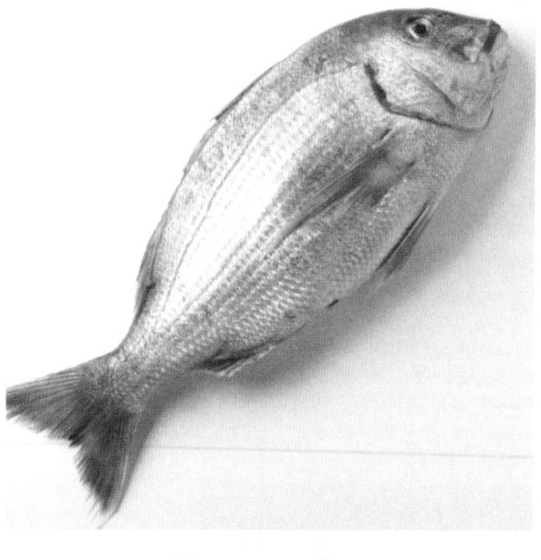

Daurade
x 1 (1,5 kg, vidée)

Préparation : 10 min
Cuisson : 30 min

- Préchauffez le four à 170°C. Effeuillez les **herbes** et mixez-les avec le **gros sel**.
- Posez les **daurades** sur une plaque, couvrez-les d'une couche épaisse de **sel** et enfournez-les 30 min.
- Cassez la croûte de **sel**, retirez la peau et levez les filets. Dégustez avec un peu d'huile d'olive.

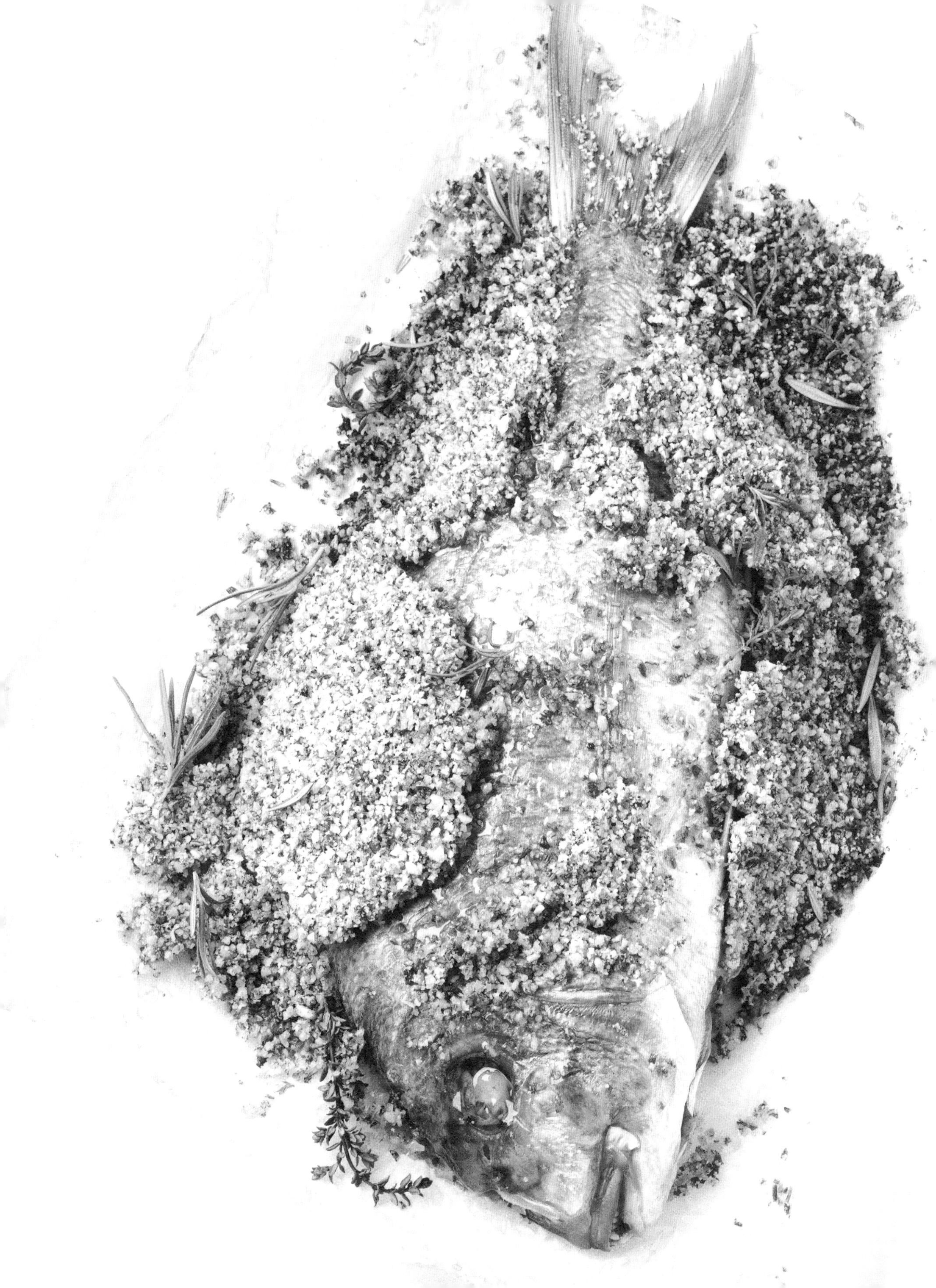

FILETS DE DAURADE EXOTIQUE

Tomates
x 4

Citronnelle
2 tiges

Huile d'olive
4 cuil. à soupe

Lait de coco
40 cl

Filets de daurade
x 4 (avec la peau)

Sel, poivre

Préparation : 10 min
Cuisson : 25 min

- Découpez les **tomates** en cubes et émincez la **citronnelle**. Préchauffez le four à 180°C.
- Placez les **tomates**, la **citronnelle**, l'**huile d'olive**, le **lait de coco** dans un plat et enfournez 15 min en remuant de temps en temps.
- Ajoutez les **filets de daurade**, la peau au-dessus, salez, poivrez et laissez cuire 10 min de plus. Servez directement dans le plat.

TARTARE DE BAR À LA MANGUE

Mangue
x1

Filets de bar
x 8 (sans peau ni arêtes)

Coriandre
1 botte

Lait de coco
2 cuil. à soupe

Huile d'olive
4 cuil. à soupe

Citron
x1 (2 cuil. à soupe de jus)

Sel, poivre

Préparation : 10 min

- Épluchez et taillez la **mangue** en cubes.
- Coupez le **bar** en cubes. Lavez et hachez la **coriandre**.
- Mélangez le **bar**, la **mangue**, la **coriandre**, le **lait de coco**, l'**huile d'olive** et le jus de **citron**. Salez, poivrez et dégustez bien frais avec du pain grillé.

LOTTE AU CIDRE ET AU JAMBON

Champignons de Paris
300 g

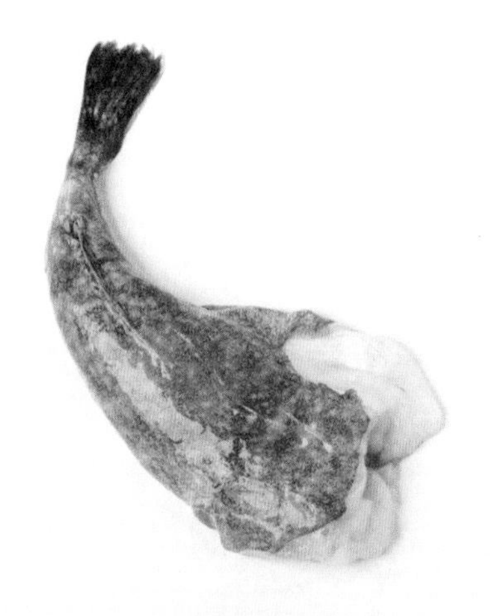

Lotte
800 g (épluchée)

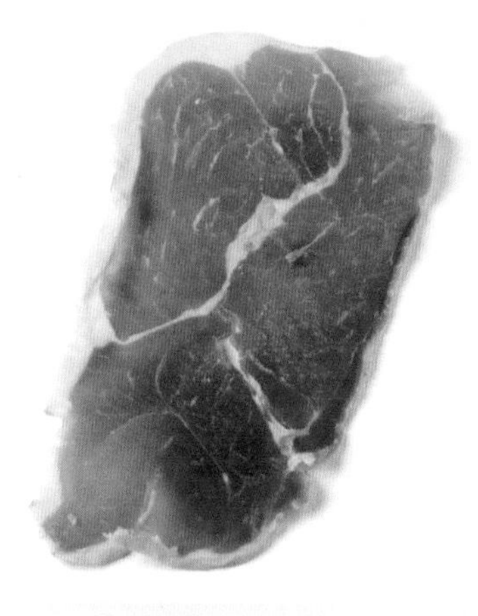

Jambon cru
4 tranches fines

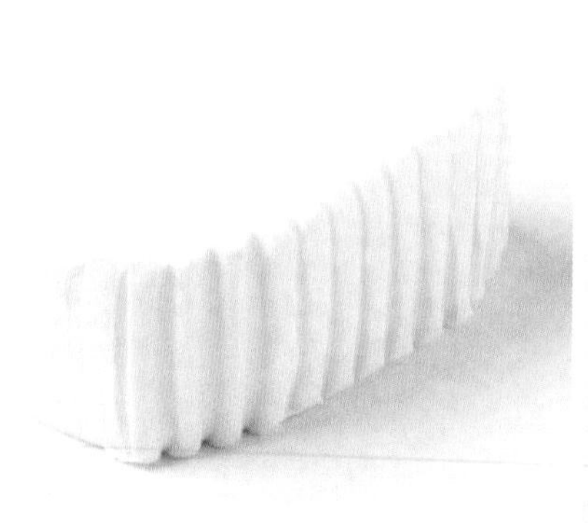

Beurre
50 g

Cidre brut
25 cl

Crème
25 cl

Sel, poivre

Préparation : 15 min
Cuisson : 30 min

- Lavez et émincez les **champignons**. Lardez la **lotte** avec le **jambon** et ficelez.
- Chauffez le **beurre** dans une cocotte, saisissez la **lotte** et les **champignons**, laissez roussir puis égouttez la **lotte** sur une assiette.
- Versez le **cidre**, faites réduire au ¾, ajoutez la **crème** et laissez cuire 5 min à feu vif.
- Ajoutez la **lotte**, laissez cuire 20 min de plus.

JOUES DE LOTTE AUX CÈPES

Cèpes séchés
40 g

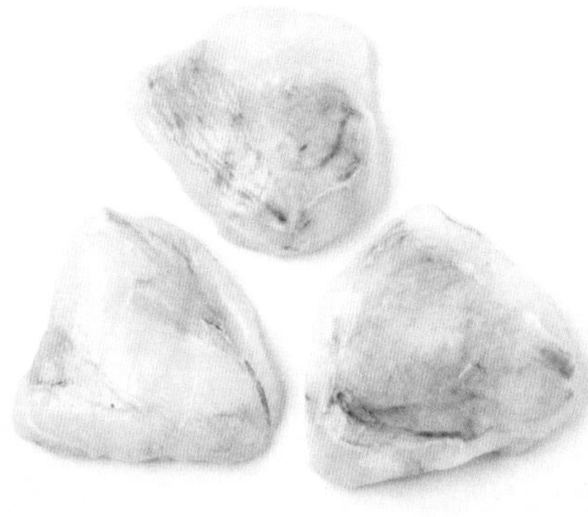

Joues de lotte
x 12

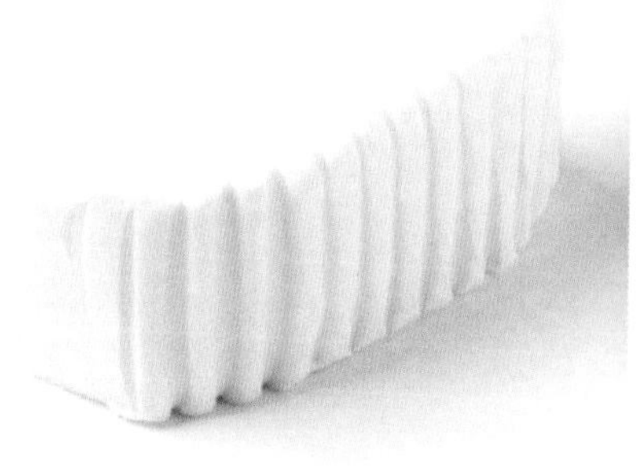

Beurre
50 g

Sauce soja
2 cuil. à soupe

Crème
50 cl

Huile de noisette
2 cuil. à soupe

Sel, poivre

Préparation : 5 min
Trempage : 30 min
Cuisson : 25 min

- Mettez les **cèpes** à tremper 30 min dans 30 cl d'eau, égouttez-les et détaillez-les en morceaux. Faites réduire de moitié l'eau de trempage.
- Saisissez les **joues de lotte** 5 min avec le **beurre** dans une cocotte, ajoutez l'eau de trempage et la **sauce soja**, laissez réduire de moitié, ajoutez la **crème** et les **cèpes**. Faites cuire 10 min à feu doux et servez arrosé d'**huile de noisette**.

MAQUEREAUX À LA MOUTARDE ET AU THYM

Filets de maquereaux
x 4 (avec la peau, sans arêtes)

Moutarde de Dijon
4 cuil. à soupe

Thym
1 cuil. à café

Sel, poivre

Préparation : 5 min
Cuisson : 25 min

- Préchauffez le four à 170°C. Étalez les **maquereaux** sur une plaque, badigeonnez de **moutarde**, salez, poivrez, parsemez de **thym**.
- Enfournez 25 min jusqu'à ce que les **maquereaux** soient bien cuits et croustillants.

ROUGETS AU JUS DE CLÉMENTINE

Clémentines
x 8

Sauce soja
2 cuil. à soupe

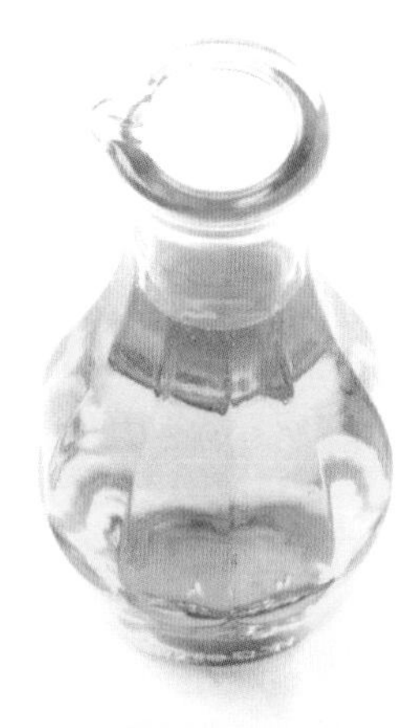

Huile d'olive
4 cuil. à soupe

Filets de rouget
x 8 (frais ou surgelés)

Sel, poivre

Préparation : 10 min
Cuisson : 5 min

- Préchauffez le four à 180°C. Pressez les **clémentines** et mélangez leur jus avec la **sauce soja** et l'**huile d'olive**.
- Placez les **filets de rouget** dans un plat et enfournez-les 5 min.
- Dressez dans un plat creux, nappez du jus de **clémentine** et dégustez.

POISSON À LA TOMATE AU FOUR

Tomates
x 2

Filets de sabre
500 g

Huile d'olive
4 cuil. à soupe

Vin blanc
5 cl

Thym
1 cuil. à café

Laurier
2 feuilles

Sel, poivre

Préparation : 10 min
Cuisson : 30 min

• Préchauffez le four à 170°C. Lavez puis taillez les **tomates** en rondelles. Découpez les **filets de sabre** en morceaux.

• Disposez les **tomates** et le poisson dans un plat à gratin en les intercalant. Salez, poivrez, ajoutez l'**huile d'olive**, le **vin blanc**, le **thym** et le **laurier** et enfournez 30 min. Dégustez bien chaud avec du riz.

GRATIN DE COURGETTES ET HADDOCK

Courgettes
x 3

Haddock
400 g (sans peau)

Basilic
20 feuilles

Parmesan en copeaux
200 g

Huile d'olive
4 cuil. à soupe

Préparation : 10 min
Cuisson : 45 min

• Préchauffez le four à 170°C. Lavez et équeutez les **courgettes**, taillez-les en lamelles fines dans le sens de la longueur, à l'aide d'un économe.
• Découpez le **haddock** en tranches fines. Lavez et hachez le **basilic**.
• Superposez les **courgettes**, le **parmesan**, le **haddock**, le **basilic** et l'**huile d'olive** dans un plat à gratin. Enfournez 45 min et dégustez.

SAUMON MARINÉ À L'ANIS

Filets de saumon
600 g (sans peau ni arêtes)

Gros sel gris
2 cuil. à soupe

Sucre
2 cuil. à soupe

Aneth
1 botte

Graines d'anis
2 cuil. à café

Huile d'olive
2 cuil. à soupe

Sel, poivre

Préparation : 10 min
Marinade : 12 h

- Placez le **saumon** dans un récipient, recouvrez-le de **sel**, de **sucre** et des ¾ de l'**aneth**. Couvrez le récipient d'un film alimentaire, et laissez mariner 12 h au réfrigérateur.
- Égouttez le **saumon**, taillez en tranches fines, dégustez recouvert d'**aneth** haché, de **graines d'anis** et d'**huile d'olive**.

TARTARE DE SAUMON AUX ASPERGES

Asperges vertes
x 8

Filets de saumon
500 g (sans peau ni arêtes)

Citrons
x 3

Huile d'olive
4 cuil. à soupe

 **Sel, poivre**

Préparation : 10 min
Cuisson : 1 min
Attente : 5 min

- Épluchez et équeutez les **asperges** et ébouillantez-les 1 min. Rafraîchissez-les et découpez-les en petits morceaux.
- Coupez le **saumon** en petits cubes et mélangez avec les **asperges**, ajoutez le jus des **citrons** et l'**huile d'olive**.
- Salez, poivrez, laissez reposer 5 min au frais et dégustez avec du pain grillé.

SAINT-PIERRE AU FOUR, SAUCE AU CITRON

Coriandre
1 botte

Citrons confits
x 2

Huile d'olive
6 cuil. à soupe

Graines de grenade
50 g

Sauce soja
2 cuil. à soupe

Saint-pierre
x 1 (1,6 kg, vidé)

Préparation : 10 min
Cuisson : 25 min

- Préchauffez le four à 170°C. Lavez et hachez la **coriandre**. Hachez la peau des **citrons confits**.
- Mélangez tous les ingrédients avec l'**huile d'olive** et la **sauce soja**. Réservez.
- Enfournez le **saint-pierre** 25 min dans un grand plat. Poivrez et dégustez le poisson chaud nappé de sauce accompagné d'une salade.

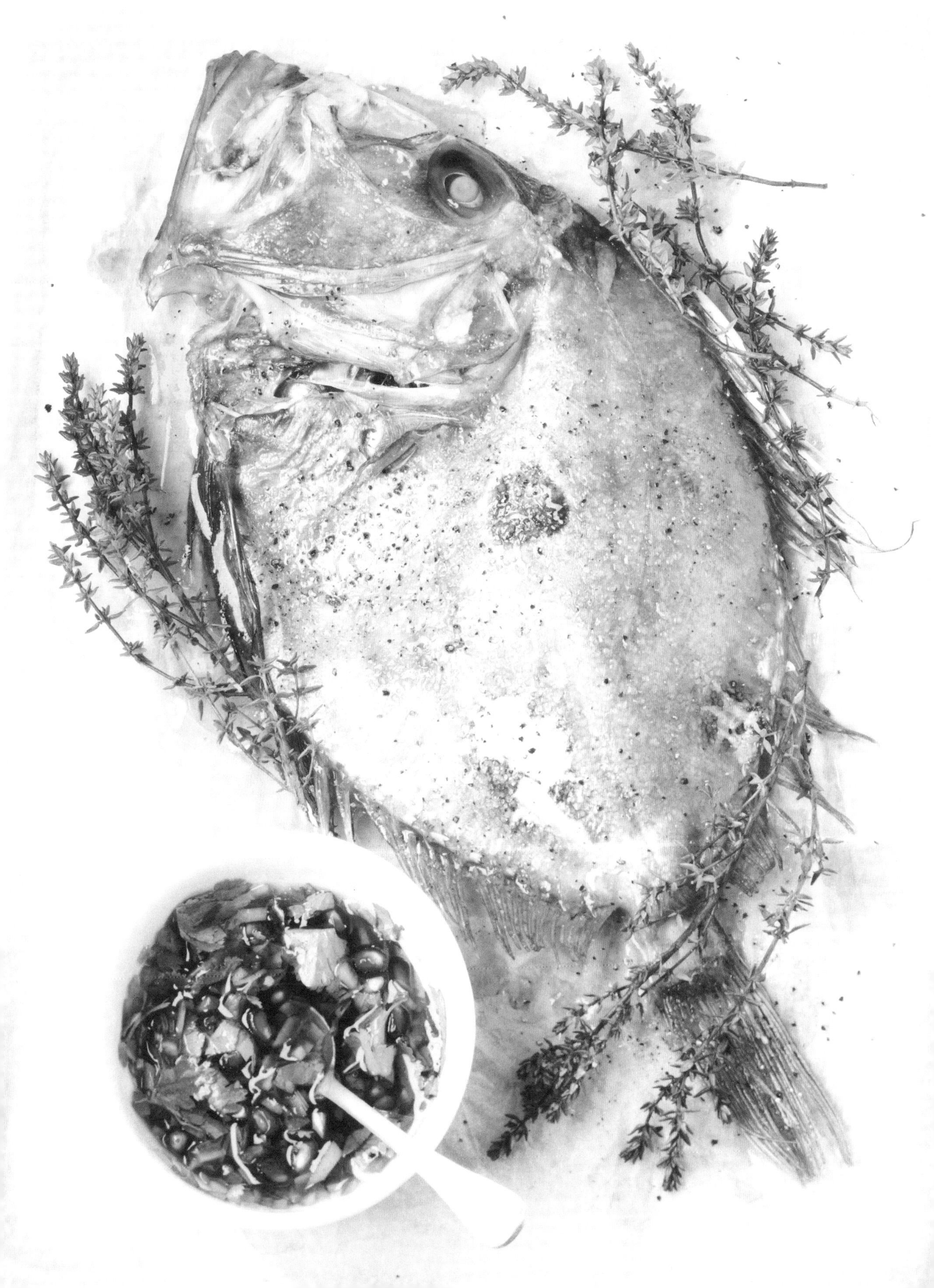

CARPACCIO DE THON À LA CORIANDRE

Coriandre
1 botte

Huile d'olive
4 cuil. à soupe

Sauce soja
2 cuil. à soupe

Citron vert
x 1

Thon ou bonite
500 g

Préparation : 10 min

• Lavez et effeuillez la **coriandre**. Mélangez l'**huile d'olive** avec la **sauce soja** et le jus du **citron**.

• Découpez le **thon** en tranches fines et disposez-les sur 4 assiettes. Réservez au frais.

• Avant de déguster, répartissez la marinade sur les assiettes, parsemez de **coriandre**, poivrez et dégustez avec du pain grillé.

TARTARE DE THON AU TARAMA

Citrons
x 2

Thon
500 g

Ciboulette
1 botte

Tarama
2 cuil. à soupe

Huile d'olive
2 cuil. à soupe

Sel, poivre

Préparation : 10 min

• Pressez les **citrons**. Découpez le **thon** en petits cubes.

• Ciselez la **ciboulette** et mélangez avec le **thon**, le jus de **citron**, le **tarama** et l'**huile**.

• Salez, poivrez, et dressez dans des assiettes individuelles. Dégustez avec des tranches de pain grillé.

THON À L'HUILE AUX POIVRONS

Poivrons rouges
x 2

Poivron vert
x 1

Thon à l'huile
2 boîtes

 **Sel, poivre**

Préparation : 10 min
Cuisson : 25 min

- Lavez, équeutez et émincez les **poivrons**.
- Saisissez les **poivrons** avec l'**huile du thon** dans une cocotte, et laissez confire 25 min à feu doux.
- Arrêtez le feu, salez, poivrez, ajoutez le **thon**.
- Mélangez, puis dégustez avec des pâtes fraîches.

CUBES DE THON MARINÉS AU SÉSAME

Thon
500 g (rouge ou blanc)

Citrons verts
x 2

Huile de sésame
3 cuil. à soupe

Graines de sésame
1 cuil. à soupe

Sauce soja
6 cuil. à soupe

Préparation : 10 min
Marinade : 10 min

• Taillez le **thon** en cubes et mélangez-les avec le jus des **citrons**, l'**huile**, les **graines de sésame** et la **sauce soja**.
• Laissez mariner 10 min au frais en mélangeant de temps en temps et dégustez avec des toasts de pain de campagne.

FRICASSÉE D'ENCORNETS AU BASILIC

Ail
2 gousses

Huile d'olive
4 cuil. à soupe

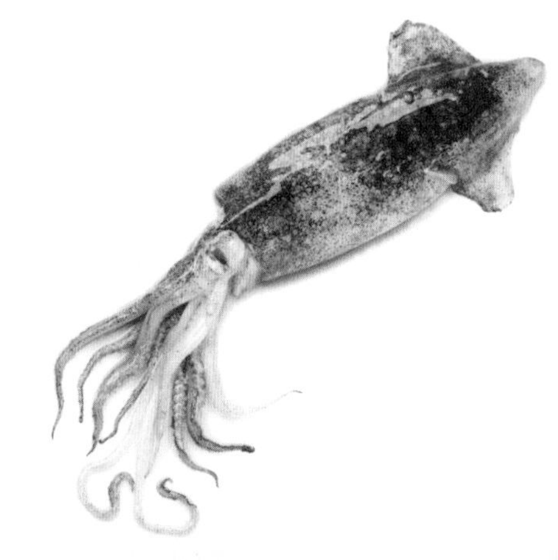

Encornets
800 g (épluchés et vidés)

Vin blanc
1 verre (15 cl)

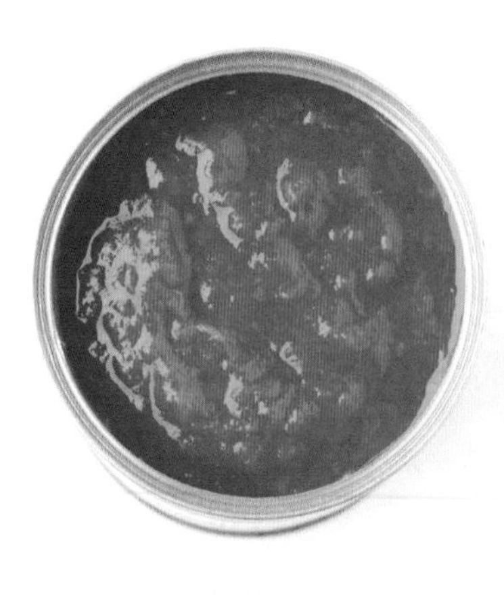

Tomates concassées
400 g

Basilic
20 feuilles

Sel, poivre

Préparation : 10 min
Cuisson : 45 min

- Épluchez et hachez l'**ail**. Chauffez l'**huile d'olive** dans une cocotte, saisissez les **encornets** et l'**ail**.
- Laissez roussir 5 min, versez le **vin blanc**, faites réduire et ajoutez les **tomates**.
- Salez, poivrez et laissez mijoter 40 min à feu doux.
- Ajoutez les feuilles de **basilic**, mélangez.

ENCORNETS FARCIS

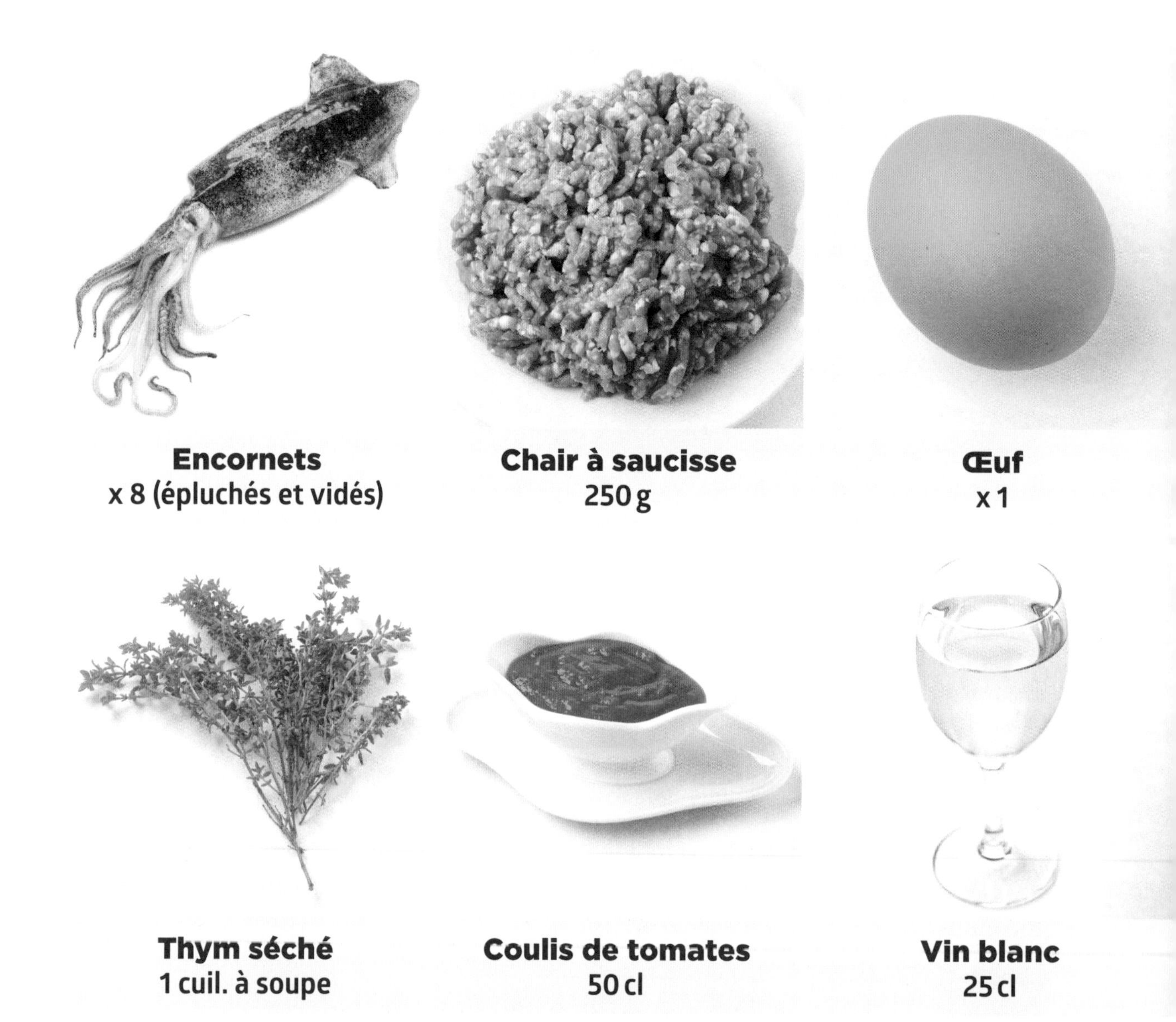

Encornets
x 8 (épluchés et vidés)

Chair à saucisse
250 g

Œuf
x 1

Thym séché
1 cuil. à soupe

Coulis de tomates
50 cl

Vin blanc
25 cl

 **Sel, poivre**

Préparation : 10 min
Cuisson : 1 h

- Préchauffez le four à 170°C. Coupez les tentacules et mélangez-les avec la **chair à saucisse**, l'**œuf** et le **thym**. Salez, poivrez et malaxez.
- Farcissez les **encornets** et fermez-les avec une pique en bois.
- Posez-les dans un plat à four, recouvrez de **coulis de tomates** et de **vin blanc** puis enfournez 1 h en arrosant de temps en temps.

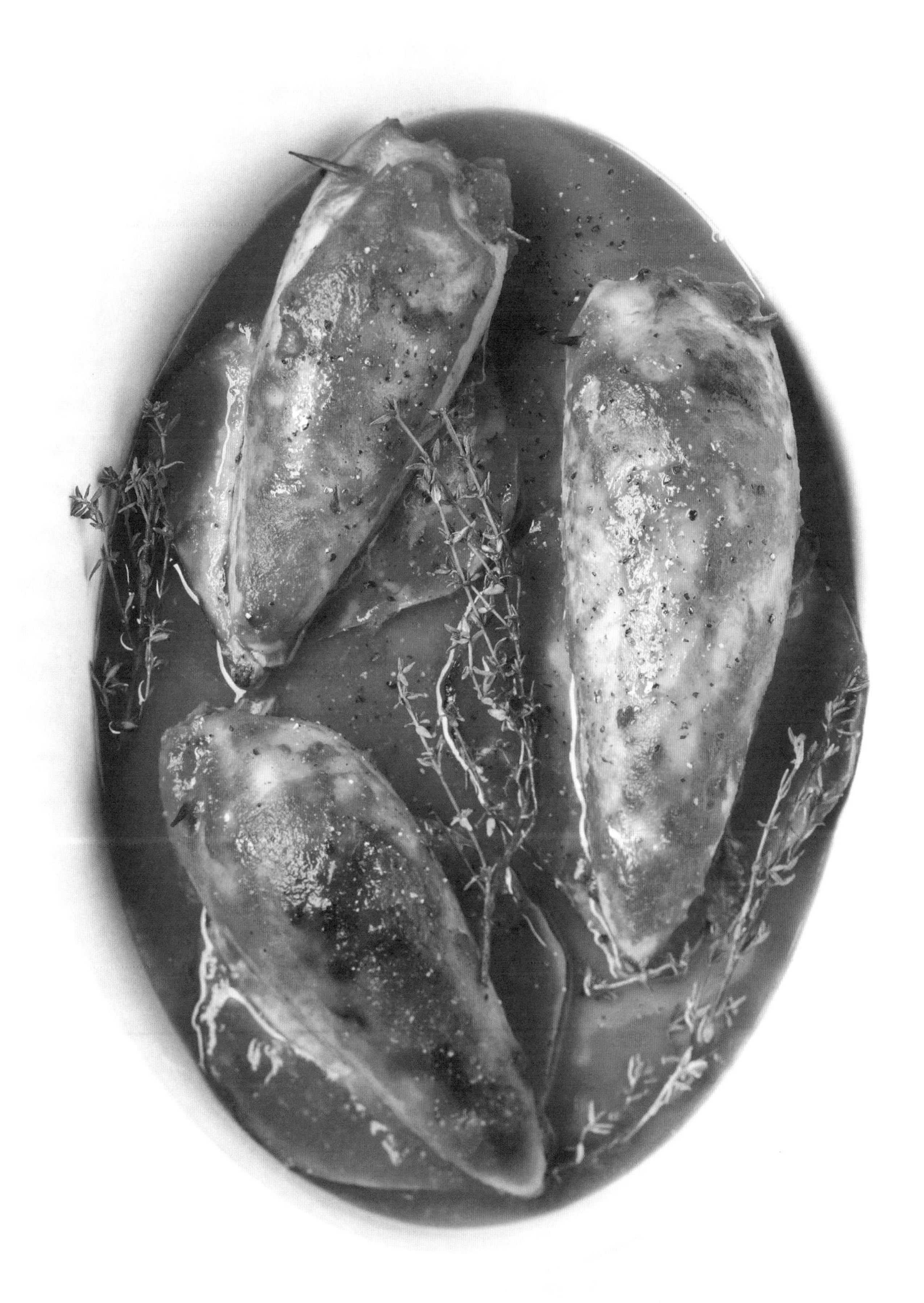

POULPE EN COCOTTE

Oignons rouges
x 2

Huile d'olive
4 cuil. à soupe

Poulpe
1,2 kg

Vin rouge
1 bouteille (75 cl)

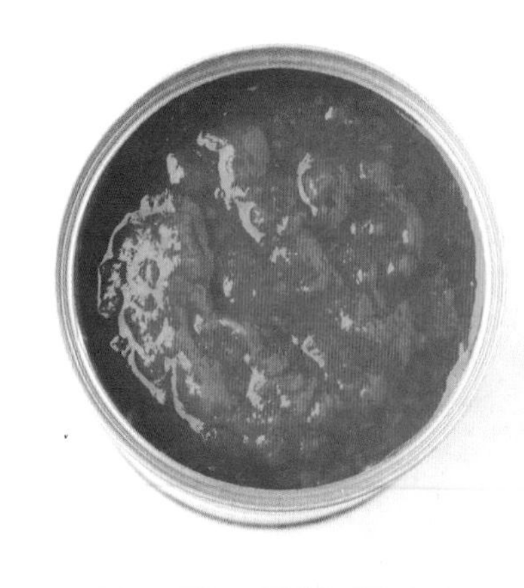

Tomates concassées
1 boîte (800 g)

Thym
4 branches

Sel, poivre

Préparation : 10 min
Cuisson : 1 h

- Épluchez et émincez les **oignons**.
- Chauffez l'**huile** dans une cocotte, saisissez les **oignons** et le **poulpe** découpé en morceaux, versez le **vin**, ajoutez les **tomates** et le **thym**.
- Laissez mijoter 1 h à feu doux en remuant. Dégustez bien chaud accompagné de pâtes fraîches.

SEICHE À L'ENCRE

Ail
4 gousses

Huile d'olive
4 cuil. à soupe

Blanc de seiche
600 g

Vin blanc
1 verre (15 cl)

Encre de seiche
4 sachets

Thym
4 branches

Sel, poivre

Préparation : 5 min
Cuisson : 30 min

• Épluchez et hachez l'**ail**. Chauffez l'**huile** dans une cocotte, saisissez 5 min la **seiche** et l'**ail**.
• Versez le **vin blanc**, laissez réduire de moitié et ajoutez l'**encre**, le **thym** et un verre d'eau.
• Laissez mijoter 25 min à feu très doux, salez et poivrez. Dégustez avec du riz.

CEVICHE DE GAMBAS AU CITRON VERT

Citrons verts
x 4

Coriandre
1 botte

Gambas
x 8 (grosses)

Huile d'olive
6 cuil. à soupe

Sel, poivre

Préparation : 15 min
Marinade : 15 min

• Pressez le jus des **citrons**, lavez, effeuillez et hachez la **coriandre**.
• Décortiquez les **gambas** et mettez-les à mariner 15 min dans un plat avec l'**huile d'olive**, le jus des **citrons** et la **coriandre**.
• Salez et poivrez puis dégustez avec des tranches de pain grillé.

CURRY DE GROSSES GAMBAS

Gambas géantes
x 8 (ou 16 grosses)

Huile d'olive
2 cuil. à soupe

Basilic
40 feuilles

Lait de coco
80 cl

Curry
2 cuil. à soupe

Sel, poivre

Préparation : 15 min
Cuisson : 20 min

• Préchauffez le four à 180°C. Décortiquez le corps des **gambas**, gardez la tête et la queue et posez-les dans un plat.

• Ajoutez l'**huile d'olive**, le **basilic**, le **lait de coco** préalablement mélangé avec le **curry**, salez, poivrez puis enfournez 20 min.

• Servez directement dans le plat et dégustez avec du riz ou des pâtes fraîches.

GAMBAS AU BEURRE DE VANILLE

Vanille
4 gousses

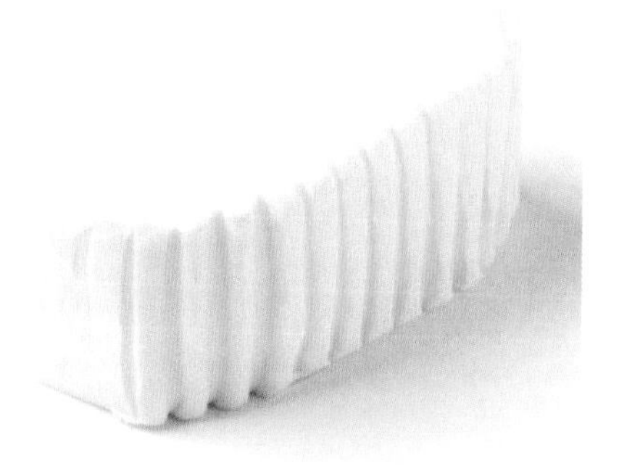

Beurre mou
120 g

Gambas géantes
x 8 (ou 16 grosses)

 **Sel, poivre**

Préparation : 8 min
Cuisson : 8 min

- Fendez et grattez les gousses de **vanille**, mélangez les graines avec le **beurre**.
- Saisissez les **gambas** coupées en deux dans le **beurre**, ajoutez les gousses en morceaux et laissez cuire 6 à 8 min à feu doux en remuant.
- Salez, poivrez et dégustez avec des pommes de terre écrasées.

HOMARDS À LA CRÈME

Homards
x 2 (800 g chacun)

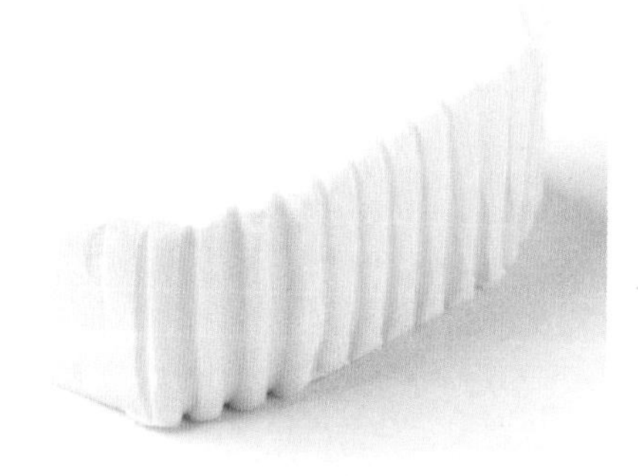

Beurre
80 g

Cognac
5 cl

Crème
50 cl

Concentré de tomates
2 cuil. à café

 **Sel, poivre**

Préparation : 40 min
Cuisson : 35 min
Attente : 30 min

- Plongez les **homards** 1 min dans l'eau bouillante.
- Chauffez le **beurre** dans une cocotte, saisissez les **homards** 10 min dans le **beurre** chaud.
- Déglacez et flambez avec le **cognac**, ajoutez la **crème** et le **concentré de tomates**.
- Fouettez et laissez cuire 20 min à feu doux.
- Arrêtez le feu, laissez infuser 30 min, puis réchauffez et dégustez en morceaux.

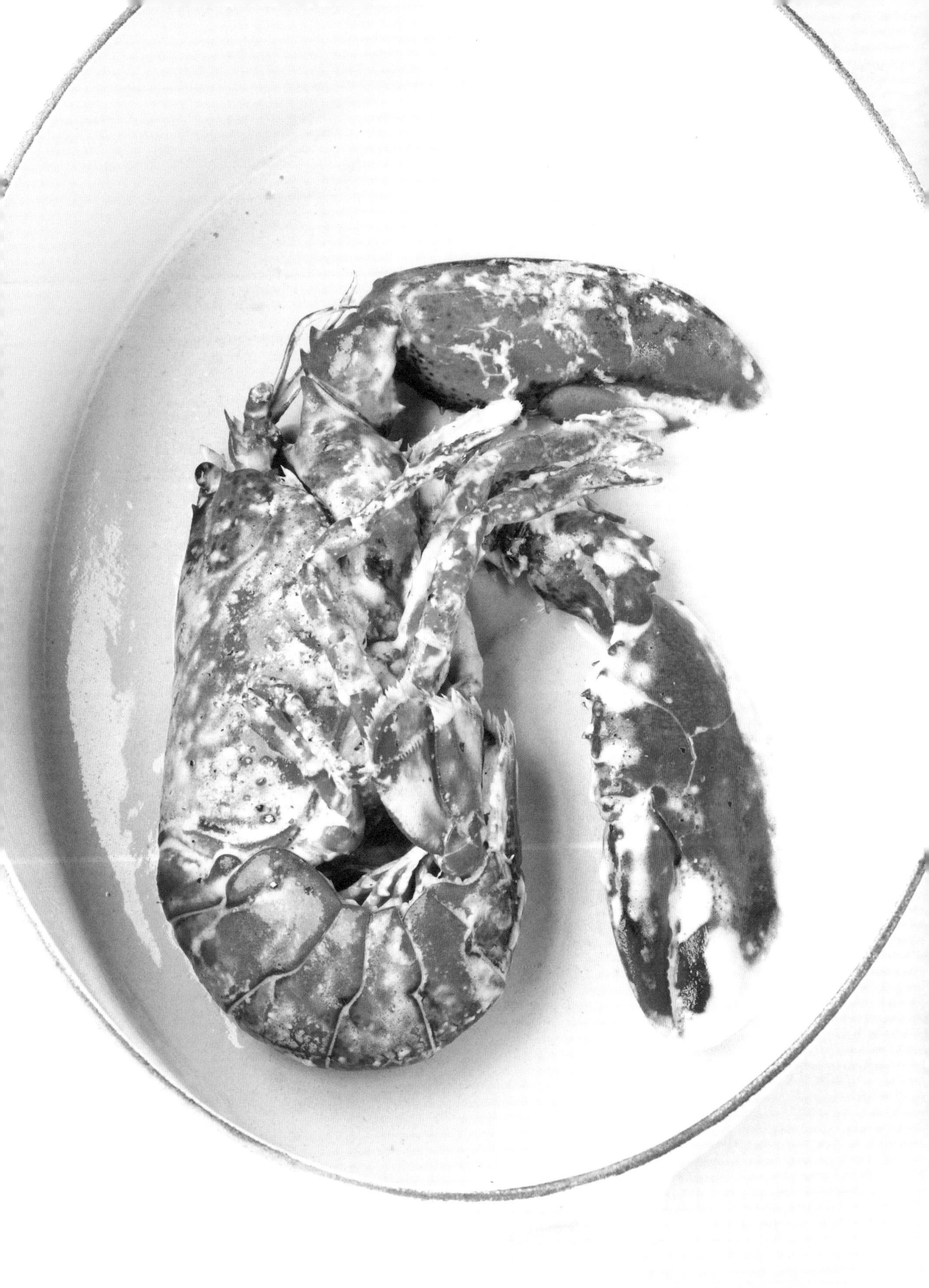

HUÎTRES CHAUDES AU GINGEMBRE

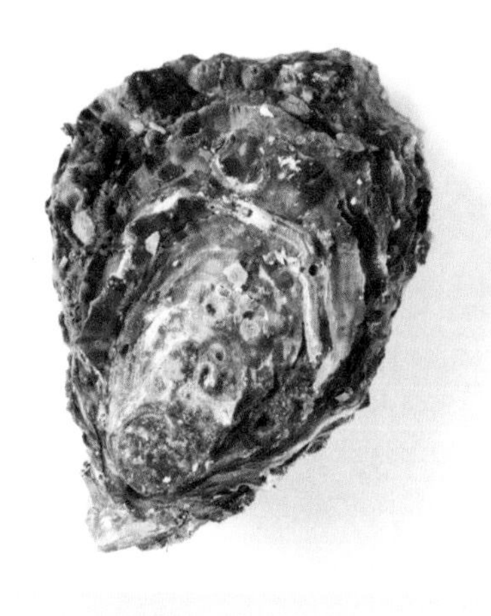

Huîtres creuses
x 8 (grosses)

Crème
1 cuil. à soupe

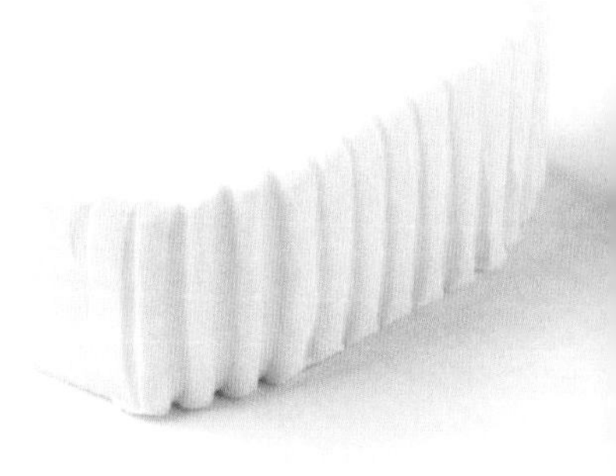

Beurre
80 g

Gingembre frais
30 g

Citron vert
x 1

Œufs de saumon
2 cuil. à soupe

Sel, poivre

Préparation : 20 min
Cuisson : 5 min

- Préchauffez le four à 180°C. Enfournez les **huîtres** 5 min pour les ouvrir facilement. Videz-les de leur eau et disposez-les sur un lit de sel.
- Chauffez la **crème** dans une casserole, ajoutez le **beurre** en morceaux en fouettant hors du feu. Ajoutez le **gingembre** râpé, le jus du **citron**, les **œufs de saumon** et nappez-en les **huîtres**.

HUÎTRES, GRENADE ET CORIANDRE

Grenade
x 1

Coriandre
1 botte

Citrons verts
x 3

Sauce soja
6 cuil. à soupe

Huile d'olive
4 cuil. à soupe

Huîtres creuses
x 24

Préparation : 20 min
Repos : 3 min
Cuisson : 5 min

• Préchauffez le four à 180°C. Enfournez les **huîtres** 5 min pour les ouvrir plus facilement. Videz-les de leur eau et disposez-les sur un lit de sel. Égrenez la **grenade**. Lavez et hachez la **coriandre**, pressez le jus des **citrons**. Mélangez tous les ingrédients dans un grand bol.

• Répartissez la sauce dans les huîtres. Laissez mariner 3 min et dégustez.

MOULES MARINIÈRES AU CURRY

Moules
2 l

Crème
33 cl

Thym
4 branches

Curry
1 cuil. à soupe

 **Sel, poivre**

Préparation : 10 min
Cuisson : 5 min

- Grattez, lavez les **moules**, puis versez-les dans une cocotte, ajoutez la **crème**, le **thym** et le **curry**.
- Portez à ébullition et faites cuire 5 min à feu vif en remuant.
- Lorsque les **moules** s'ouvrent, arrêtez le feu, mélangez et dégustez.

OURSINS À LA COQUE

Oursins
x 8 (gros)

Œufs de caille
x 4

Crème liquide
4 cuil. à soupe

Huile d'ollve
2 cuil. à café

 **Sel, poivre**

Préparation : 15 min
Cuisson : 10 min

• Préchauffez le four à 180°C. Ouvrez les **oursins** avec une paire de ciseaux pointus. Récupérez les langues orange avec une petite cuillère.
• Lavez et séchez 4 coques. Cassez 1 **œuf de caille** dans chacun, répartissez la **crème**, l'**huile d'olive** et les langues.
• Enfournez 10 min, salez légèrement, poivrez et dégustez avec des mouillettes.

PALOURDES AU LAIT DE COCO

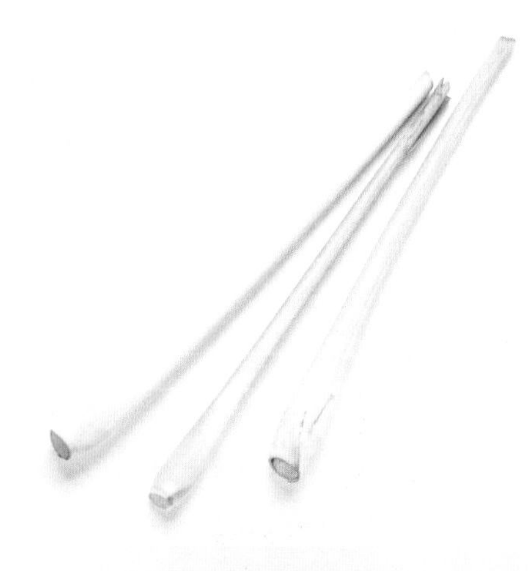

Citronnelle
2 tiges

Lait de coco
40 cl

Thym
2 branches

Palourdes
x 24

 **Sel, poivre**

Préparation : 10 min
Cuisson : 10 min

- Épluchez et émincez la **citronnelle**.
- Versez le **lait de coco**, la **citronnelle**, le **thym** et les **palourdes** dans une casserole.
- Portez à ébullition en remuant, arrêtez le feu quand les **palourdes** s'ouvrent. Dressez dans 4 bols individuels.

CARPACCIO DE SAINT-JACQUES PASSION

Fruits de la Passion
x 3

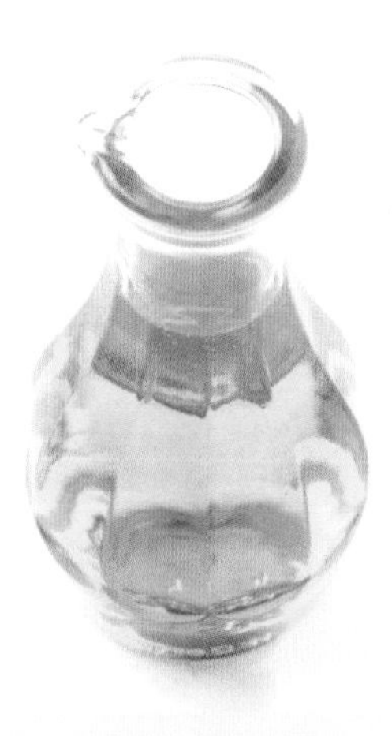

Huile d'olive
4 cuil. à soupe

Saint-jacques sans corail
x 12 (fraîches ou surgelées)

 **Sel, poivre**

Préparation : 10 min
Marinade : 5 min

- Coupez les **fruits de la Passion** en deux, récupérez la chair et le jus et mélangez le tout avec l'**huile d'olive**.
- Découpez les **noix de saint-jacques** en tranches fines et disposez-les en rosace sur 4 assiettes.
- Badigeonnez les assiettes avec l'**huile** aux **fruits de la Passion**.
- Salez, poivrez, laissez mariner 5 min et dégustez.

SAINT-JACQUES ET GASPACHO AUX HERBES

Basilic
20 feuilles

Aneth
1 botte

Saint-jacques
x 12 (fraîches ou surgelées)

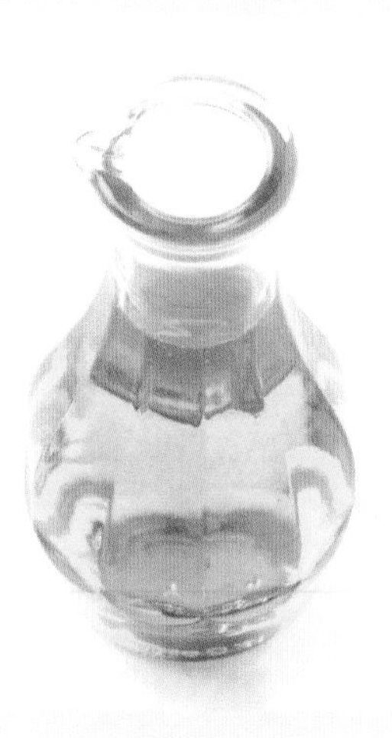

Huile d'olive
6 cuil. à soupe

Gaspacho
50 cl

Sel, poivre

Préparation : 15 min
Cuisson : 2 min

- Lavez et hachez grossièrement le **basilic** et l'**aneth**. Colorez 2 min les **noix de saint-jacques** en gardant ou non le corail avec la moitié de l'**huile d'olive** dans une poêle.
- Dressez le **gaspacho** dans 4 assiettes creuses, ajoutez les **saint-jacques** et les herbes, salez, poivrez, ajoutez le reste de l'**huile d'olive** et dégustez.

ROSES DES SABLES

Préparation : 15 min
Réfrigération : 1 h

- Faites fondre le **chocolat** au bain-marie, ajoutez les **corn flakes** et mélangez.
- Formez des petits tas de même taille sur une grande plaque. Laissez prendre 1 h au réfrigérateur et dégustez.

FONDANTS AU CHOCOLAT

Œufs
x 4

Pâte à tartiner
250 g

Préparation : 10 min
Cuisson : 5 min

• Préchauffez le four à 180°C. Fouettez les **œufs** entiers 8 min avec un batteur électrique dans un saladier.

• Faites ramollir la **pâte à tartiner** au micro-ondes et incorporez-le délicatement avec une spatule dans les **œufs** fouettés. Remplissez 4 ramequins et enfournez 5 min. Dégustez chaud avec une boule de glace vanille.

ROCHERS COCO

Blancs d'œufs
x 2

Sucre en poudre
80 g

Noix de coco râpée
180 g

Préparation : 10 min
Cuisson : 5 min

- Préchauffez le four à 210°C. Mélangez du bout des doigts les **blancs d'œufs** avec le **sucre** et la **noix de coco**.
- Moulez de petites pyramides et disposez-les sans les coller sur une plaque recouverte d'une feuille de papier sulfurisé. Enfournez 5 min, laissez refroidir et dégustez.

COOKIES PISTACHE, CERISE

Cerises confites
100 g

Pistaches mondées
50 g

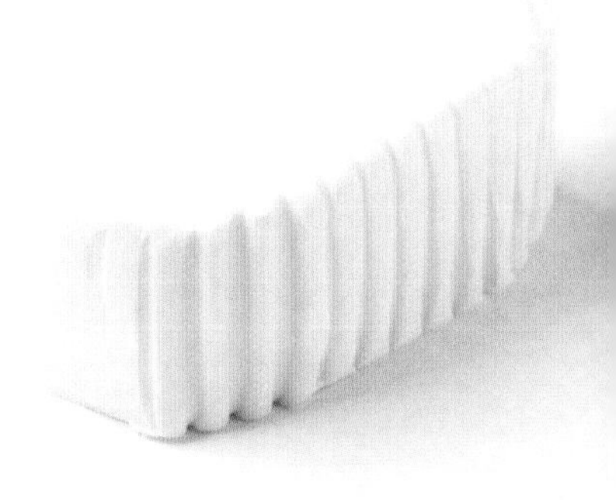

Beurre
100 g (mou)

Sucre en poudre
50 g

Farine
100 g

Préparation : 15 min
Cuisson : 10 min
Réfrigération : 1 h

- Hachez les **cerises** et les **pistaches**.
- Mélangez le **beurre**, le **sucre**, la **farine**, les **cerises** et les **pistaches**.
- Formez un boudin de pâte et placez-le 1 h au réfrigérateur. Préchauffez le four à 180°C.
- Coupez le boudin de pâte en biscuits réguliers d'1 cm d'épaisseur, déposez-les sur une plaque et enfournez-les 10 min. Laissez refroidir.

PROFITEROLES PASSION CHOCOLAT

Chocolat noir
200 g

Crème
20 cl

Chouquettes
x 12

Sorbet fruits de la Passion
300 g

Préparation : 15 min

- Concassez le **chocolat** avec un gros couteau dans un saladier. Versez la **crème** bouillante sur le **chocolat** en fouettant pour le faire fondre.
- Réservez au bain-marie.
- Garnissez les **chouquettes** de **sorbet**, dressez-les sur des assiettes individuelles, nappez de **chocolat** chaud et dégustez.

CRÈME FOUETTÉE À LA FRAMBOISE

Crème fleurette
60 cl

Sucre glace
1 cuil. à soupe

Framboises
400 g

Préparation : 10 min
Réfrigération : 10 min

- Dans un bol très froid, fouettez la **crème** froide en chantilly avec un fouet électrique, ajoutez le **sucre** et les **framboises**, continuez de fouetter 2 min puis dressez dans des verres.
- Laissez 10 min au frais et dégustez.

CRÈME ONCTUEUSE AUX FRAISES DES BOIS

Mascarpone
50 g

Crème fleurette
33 cl

Sucre glace
1 cuil. à soupe

Fraises des bois
400 g

Préparation : 10 min
Réfrigération : 1 h

• Mélangez le **mascarpone**, la **crème** et le **sucre** dans la cuve d'un batteur et mettez la préparation 1 h au frais. 5 min avant de déguster, fouettez le mélange jusqu'à obtenir une chantilly onctueuse.

• Dressez dans des verres avec des **fraises des bois**.

FEUILLETÉ AUX POMMES ET À LA CANNELLE

Pommes reinette
x 4

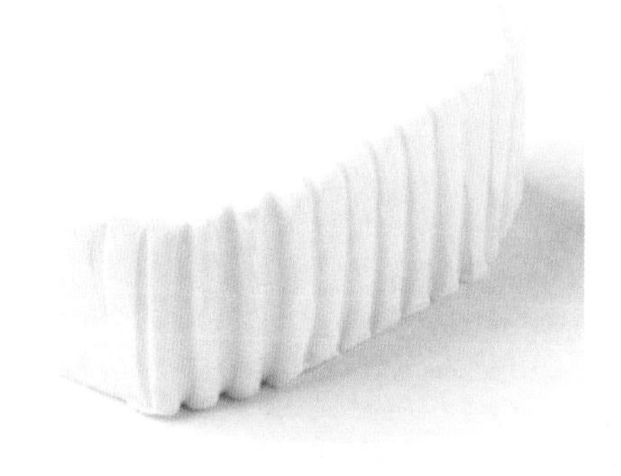

Beurre
50 g

Cannelle
2 cuil. à café

Pâte feuilletée
x 1

Sucre brun en poudre
4 cuil. à soupe

Préparation : 10 min
Cuisson : 25 min

• Épluchez et découpez les **pommes** en cubes. Saisissez-les 5 min dans une poêle avec le **beurre** et la **cannelle**, laissez refroidir.
• Préchauffez le four à 180 °C. Étalez la **pâte** sur une plaque, recouvrez de **pommes**, saupoudrez de 3 cuillères de **sucre** et refermez la **pâte**.
• Saupoudrez le dessus avec le reste de **sucre** et enfournez 25 min. Dégustez chaud ou froid.

FRAISES AU SIROP DE VIN ET À LA MENTHE

Vin rouge
20 cl

Sucre
15 morceaux

Badiane (anis)
2 étoiles

Cannelle
2 bâtons

Menthe
1 botte

Fraises
2 barquettes

Préparation : 10 min
Cuisson : 25 min
Réfrigération : 3 h

- Faites cuire le **vin**, le **sucre** et les **épices** pendant 25 min à feu doux.
- Lavez la **menthe**. Lavez et coupez les **fraises**.
- Arrêtez le feu sous le sirop. Ajoutez la botte de **menthe** entière, couvrez et laissez infuser 3 h au frais.
- Retirez la botte de **menthe**, ajoutez les fraises et dégustez.

PASTÈQUE AU SIROP DE CITRON

Citrons bio
x 2

Sucre glace
2 cuil. à soupe

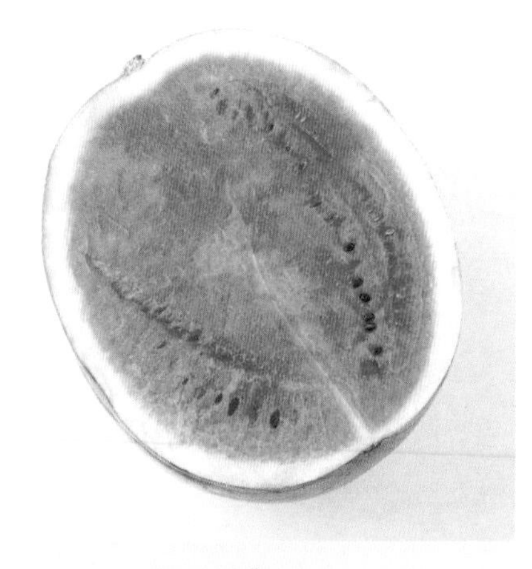

Pastèque
900 g

Préparation : 10 min
Cuisson : 25 min

• Râpez le zeste des **citrons** et pressez leur jus. Réunissez jus et zeste dans une casserole, ajoutez 1 verre d'eau (5 cl environ) et le **sucre**.
• Faites cuire et confire 25 min à feu doux et laissez refroidir.
• Retirez la peau de la **pastèque** et taillez la chair en cubes. Mélangez la **pastèque** avec le sirop de **citron** et dégustez bien frais.

POIRES POCHÉES AU VIN ET AU SAFRAN

Poires
x 4 (grosses) ou x 8 (petites)

Vin liquoreux
1 bouteille (75 cl)

Safran
10 pistils

Pain d'épice
2 tranches

Préparation : 15 min
Cuisson : 45 min
Réfrigération : 1 h

- Épluchez les **poires** sans les vider en gardant la queue. Mettez-les dans une casserole avec le **vin** et le **safran**.
- Laissez cuire 45 minutes à feu doux. Arrêtez le feu et laissez refroidir dans le sirop.
- Dressez les **poires** froides dans des assiettes creuses, ajoutez le sirop et émiettez le **pain d'épice** sur le dessus.

SALADE DE FRAISES AU BASILIC

Fraises
400 g

Sucre glace
1 cuil. à soupe

Citrons
x 2

Basilic
10 feuilles

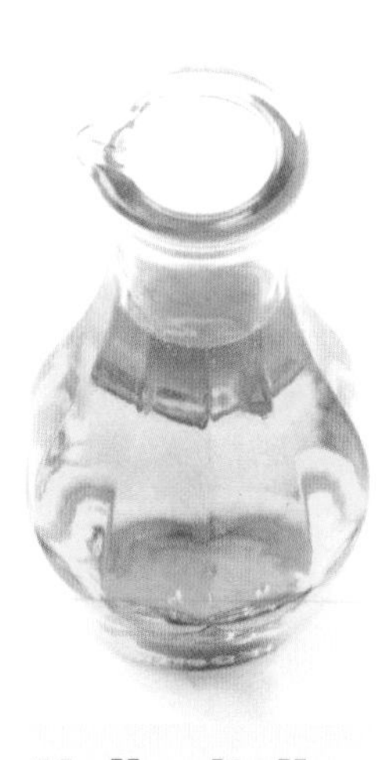

Huile d'olive
2 cuil. à soupe

Préparation : 10 min
Réfrigération : 15 min

• Lavez, équeutez et coupez les **fraises**. Mélangez-les avec le **sucre** et le jus des **citrons** dans un saladier.

• Laissez macérer 15 min au frais, ajoutez le **basilic** ciselé et l'**huile d'olive**, mélangez et dégustez.

CHANTILLY CACAO MYRTILLES

Crème fleurette
60 cl

Cacao amer en poudre
2 cuil. à soupe

Sucre glace
2 cuil. à café

Myrtilles
400 g

Préparation : 15 min
Réfrigération : 1 h

• Versez la **crème** dans la cuve d'un batteur et réservez-la 1 h au frais. 5 min avant de déguster, fouettez la **crème** jusqu'à obtenir une chantilly onctueuse, ajoutez le **cacao** et le **sucre** et fouettez 1 min de plus pour bien mélanger.

• Dressez dans des ramequins avec les **myrtilles**.

TABLE DES MATIÈRES

DESSERTS

INDEX

A

B

C

P

58, rue Jean Bleuzen – 92178 Vanves Cedex

Pour l'éditeur, le principe est d'utiliser des papiers composés de fibres naturelles,
renouvelables, recyclables et fabriqués à partir de bois issus de forêts
qui adoptent un système d'aménagement durable. En outre, l'éditeur attend
de ses fournisseurs de papier qu'ils s'inscrivent dans une démarche de certification
environnementale reconnue.

Direction : Catherine Saunier-Talec
Responsable artistique : Antoine Béon
Responsable éditoriale : Céline Le Lamer

Packaging éditorial : Édiclic
Coordination éditoriale : Delphine Blétry et Séverine Charbonnel
Conception graphique et mise en pages : Marie-Paule Jaulme
Fabrication : Amélie Latsch
Responsable partenariats : Sophie Morier (smorier@hachette-livre.fr)

Dépôt légal : octobre 2021
85/8897/3-20
ISBN : 978-2-01-396365-7
Imprimé en Espagne par Macrolibros en septembre 2021
www.hachette-pratique.com

4,9 kg q. CO_2
Rendez-vous sur
www.hachette-durable.fr